MAIGRET VOYAGE

OUVRAGES DE GEORGES SIMENON
AUX PRESSES DE LA CITÉ

COLLECTION MAIGRET

Mon ami Maigret
Maigret chez le coroner
Maigret et la vieille dame
L'amie de Mme Maigret
Maigret et les petits cochons
sans queue
Un Noël de Maigret
Maigret au « Picratt's »
Maigret en meublé
Maigret, Lognon et les
gangsters
Le revolver de Maigret
Maigret et l'homme du banc
Maigret a peur
Maigret se trompe
Maigret à l'école
Maigret et la jeune morte
Maigret chez le ministre
Maigret et le corps sans tête
Maigret tend un piège
Un échec de Maigret

Maigret s'amuse
Maigret à New York
La pipe de Maigret et Maigret
se fâche
Maigret et l'inspecteur Mal-
gracieux
Maigret et son mort
Les vacances de Maigret
Les Mémoires de Maigret
Maigret et la Grande Perche
La première enquête de
Maigret
Maigret voyage
Les scrupules de Maigret
Maigret et les témoins récal-
citrants
Maigret aux Assises
Une confidence de Maigret
Maigret et les vieillards
Maigret et le voleur pares-
seux

Maigret et les braves gens
Maigret et le client du samedi
Maigret et le clochard
La colère de Maigret
Maigret et le fantôme
Maigret se défend
La patience de Maigret
Maigret et l'affaire Nahour
Le voleur de Maigret
Maigret à Vichy
Maigret hésite
L'ami d'enfance de Maigret
Maigret et le tueur
Maigret et le marchand de
vin
La folle de Maigret
Maigret et l'homme tout seul
Maigret et l'indicateur
Maigret et Monsieur Charles
Les enquêtes du commis-
saire Maigret (2 volumes)

LES INTROUVABLES

La fiancée du diable
Chair de beauté
L'inconnue
L'amant sans nom

Dolorosa
Marie Mystère
Le roi du Pacifique
L'île des maudits

Nez d'argent
Les pirates du Texas
La panthère borgne
Le nain des cataractes

ROMANS

Je me souviens
Trois chambres à Manhattan
Au bout du rouleau
Lettre à mon juge
Pedigree
La neige était sale
Le fond de la bouteille
Le destin des Malou
Les fantômes du chapelier
La jument perdue
Les quatre jours du pauvre
homme
Un nouveau dans la ville
L'enterrement de Monsieur
Bouvet
Les volets verts
Tante Jeanne
Le temps d'Anaïs
Une vie comme neuve
Marie qui louche
La mort de Belle
La fenêtre des Rouet
Le petit homme d'Ar-
khangelsk

La fuite de Monsieur Monde
Le passager clandestin
Les frères Rio
Antoine et Julie
L'escalier de fer
Feux rouges
Crime impuni
L'horloger d'Everton
Le grand Bob
Les témoins
La boule noire
Les complices
En cas de malheur
Le fils
Le nègre
Strip-tease
Le président
Dimanche
La vieille
Le passage de la ligne
Le veuf
L'ours en peluche
Betty
Le train

La porte
Les autres
Les anneaux de Bicêtre
La rue aux trois poussins
La chambre bleue
L'homme au petit chien
Le petit saint
Le train de Venise
Le confessionnal
La mort d'Auguste
Le chat
Le déménagement
La main
La prison
Il y a encore des noisetiers
Novembre
Quand j'étais vieux
Le riche homme
La disparition d'Odile
La cage de verre
Les innocents

SÉRIE POURPRE

Le voyageur de la Toussaint   La maison du canal   La Marie du port

GEORGES SIMENON

MAIGRET VOYAGE

PRESSES DE LA CITÉ

La loi du 1¹ mars 1957 n'autorisant, aux termes des alinéas 2 et 3 de
l'Article 41, d'une part, que les *copies ou reproductions strictement réservées
à l'usage privé du copiste et non destinées à une utilisation collective*, et, d'autre
part, que les analyses et les courtes citations dans un but d'exemple et
d'illustration, *toute representation ou reproduction intégrale ou partielle, faite
sans le consentement de l'auteur ou de ses avants droit ou avants cause, est
illicite* (alinéa 1er de l'Article 40)
Cette representation ou reproduction, par quelque procédé que ce soit,
constituerait donc une contrefaçon sanctionnée par les Articles 425 et suivants du Code pénal.

© *Georges Simenon*, 1958.

ISBN 2-258-00303-2

CHAPITRE

1

Ce qui se passait au George V pendant qu'il pleuvait sur Paris, que Maigret dormait et qu'un certain nombre de gens faisaient de leur mieux.

— LES AFFAIRES LES plus empoisonnantes sont celles qui ont l'air si banales au début qu'on ne leur attache pas d'importance. C'est un peu comme ces maladies qui commencent d'une façon sourde, par de vagues malaises. Quand on les prend enfin au sérieux, il est souvent trop tard.

C'était Maigret qui avait dit ça, jadis, à l'inspecteur Janvier, un soir qu'ils s'en revenaient tous les deux par le Pont-Neuf au quai des Orfèvres.

Mais, cette nuit, Maigret ne commentait pas les événements qui se déroulaient, car il dormait profondément, dans son appartement du boulevard Richard-Lenoir, à côté de Mme Maigret.

S'il s'était attendu à des embêtements, ce n'est

pas à l'Hôtel George V qu'il aurait pensé, un
endroit dont on parle plus souvent à la rubrique
mondaine des journaux que dans les faits-divers,
mais à la fille d un député qu'il avait été obligé
de convoquer à son bureau pour lui recommander de ne plus se livrer à certaines excentricités.
Bien qu'il lui eût parlé sur un ton paternel, elle
avait assez mal pris la chose. Il est vrai qu'on
venait tout juste de fêter ses dix-huit ans.

— Vous n'êtes jamais qu'un fonctionnaire et
je vous ferai casser...

A trois heures du matin, il tombait une petite
pluie fine à peine visible, qui suffisait cependant
pour laquer les rues et pour donner, comme des
larmes aux yeux, plus d'éclat aux lumières.

A trois heures et demie, au troisième étage du
George V, la sonnerie vibra dans la pièce où une
femme de chambre et un valet somnolaient.
Tous les deux ouvrirent les yeux. Le valet de
chambre remarqua le premier que c'était la lampe
jaune qui venait de s'allumer et dit :

— C'est pour Jules.

Cela signifiait qu'on avait sonné le garçon et
celui-ci alla servir une bouteille de bière danoise
à un client.

Les deux domestiques s'assoupirent à nouveau,
chacun sur sa chaise. Il y eut un silence plus
ou moins long, puis la sonnerie se fit entendre à
nouveau au moment où Jules, âgé de plus de soi-
xante ans, et qui avait toujours fait la nuit, revenait avec son plateau vide.

— Voilà ! Voilà ! gronda-t-il entre ses dents.

Sans se presser, il se dirigea vers le 332, où
une lampe était allumée au-dessus de la porte

frappa, attendit un instant et, n'entendant rien,
ouvrit doucement. Il n'y avait personne dans le
salon obscur. Un peu de lumière venait de la
chambre où on entendait un gémissement faible
et continu comme celui d'un animal ou d'un
enfant.

La petite comtesse était étendue sur son lit,
les yeux mi-clos, les lèvres entr'ouvertes, les deux
mains sur la poitrine à l'endroit approximatif
du coeur.

— Qui est-ce ? gémit-elle.

— Le garçon, Madame la Comtesse.

Il la connaissait bien. Elle le connaissait bien
aussi.

— Je suis en train de mourir, Jules. Je ne
veux pas. Appelez vite le docteur. Est-ce qu'il
y en a un dans l'hôtel ?

— Pas à cette heure-ci, Madame la Comtesse,
mais je vais avertir l'infirmière...

Un peu plus d'une heure auparavant, il avait
servi, dans le même appartement, une bouteille
de champagne, une bouteille de whisky, du soda
et un seau de glace. Bouteilles et verres se trouvaient encore dans le salon, sauf une coupe à
champagne, renversée sur la table de nuit.

— Allo ! Passez-moi vite l'infirmière...

Mlle Rosay, la téléphoniste de service, ne s'é-
tonna pas, planta une fiche, puis une autre, dans
un des nombreux trous du standard.

Jules entendait une sonnerie lointaine, puis
une voix endormie.

— Allo... L'infirmerie écoute...

— Voulez-vous descendre tout de suite au 332 ?

— Je meurs, Jules...

— Vous verrez que vous ne mourrez pas, Mme la Comtesse...

Il ne savait que faire en attendant. Il alla allumer les lampes dans le salon, constata que la bouteille de champagne était vide tandis que la bouteille de whisky ne l'était qu'aux trois quarts.

La comtesse Palmieri gémissait toujours, les mains crispées sur sa poitrine.

— Jules...

— Oui, Mme la Comtesse...

— Si on arrivait trop tard...

— Mlle Genévrier descend tout de suite...

— Si on arrivait trop tard quand même, dites-leur que je me suis empoisonnée, mais que je ne veux pas mourir...

L'infirmière à cheveux gris, au visage gris, dont le corps, sous la blouse blanche, sentait encore le lit, pénétrait dans l'appartement, après avoir, pour la forme, frappé de petits coups à la porte. Elle tenait un flacon de Dieu sait quoi à la main, un flacon brunâtre, et des boites de médicaments gonflaient ses poches.

— Elle dit qu'elle s'est empoisonnée...

Avant tout, Mlle Genévrier regarda autour d'elle, découvrit le panier à papier dont elle retira un tube pharmaceutique, lut l'étiquette.

— Priez la téléphoniste d'appeler le docteur Frère... C'est urgent...

On aurait dit que, maintenant qu'il y avait quelqu'un pour la soigner, la Comtesse s'abandonnait à son sort, car elle n'essayait plus de parler et son gémissement devenait plus faible.

— Allo! Appelez vite le docteur Frère... Mais

non, ce n'est pas moi!... C'est l'infirmière qui
l'a dit...

Ces choses-là sont si fréquentes, dans les hôtels de luxe et dans certains quartiers de Paris,
qu'à Police-Secours, quand, la nuit, on reçoit
un appel du XVIᵉ arrondissement, par exemple,
il y a presque toujours quelqu'un pour questionner :

— Gardénal?

C'est devenu un nom commun. On dit « un
gardénal » comme on dit « un Bercy » pour dési-
gner un ivrogne.

— Allez me chercher de l'eau chaude...

— Bouillie?

— Peu importe, du moment qu'elle est chaude...

Mlle Genévrier avait pris le pouls de la comtesse
lui avait soulevé la paupière supérieure.

— Combien de comprimés avez-vous avalé?

Une voix de petite fille répondait :

— Je ne sais pas... Je ne sais plus... Ne me
laissez pas mourir...

— Bien sûr, mon petit... Buvez toujours
ceci...

Elle lui soutenait les épaules, tenant un verre
devant ses lèvres.

— C'est mauvais?

— Buvez...

A deux pas, avenue Marceau, le docteur
Frère s'habillait en hâte, saisissait sa trousse et,
un peu plus tard, sortait de l'immeuble endormi,
montait dans sa voiture qui stationnait au bord
du trottoir.

Le hall de marbre du George V était désert,

avec seulement, d'un côté, le réceptionniste de
nuit qui lisait un journal derrière son bureau
d'acajou, de l'autre le concierge qui ne faisait
rien.

— Le 332... annonça le médecin en passant.

— Je sais...

La téléphoniste l'avait mis au courant.

— J'appelle une ambulance ?

— Je vais voir...

Le docteur Frère connaissait la plupart des appartements de l'hôtel. Comme l'infirmière, il
frappa un coup en quelque sorte symbolique, entra, retira son chapeau et se dirigea vers la
chambre à coucher.

Jules, après avoir apporté un pot d'eau chaude,
s'était retiré dans un coin.

— Empoisonnement, docteur... Je lui ai donné...

Ils échangeaient quelques mots, qui étaient
comme de la sténographie ou comme une conversation en code tandis que la comtesse, toujours
soutenue par l'infirmière avait de violents hauts-
le-coeur et commençait à vomir.

— Jules !

— Oui, docteur...

— Faites téléphoner à l'Hôpital Américain de
Neuilly pour qu'ils envoient une ambulance...

Tout cela n'avait rien d'exceptionnel. La téléphoniste, le casque sur la tête, s'adressait à
une autre téléphoniste de nuit, là-bas, à Neuilly.

— Je ne sais pas au juste, ma petite... Il
s'agit de la comtesse Palmieri et le docteur est
là-haut avec elle...

Le téléphone sonnait au 332. Jules décrochait, annonçait :

— L'ambulance sera ici dans dix minutes.

Le médecin rangeait dans sa trousse la seringue avec laquelle il venait de faire une piqûre.

— Je l'habille ?

— Contentez-vous de l'envelopper d'une couverture. Si vous apercevez une valise quelque part, mettez-y quelques-unes de ses affaires. Vous savez mieux que moi ce qu'elle réclamera...

Un quart d'heure plus tard, deux infirmiers descendaient la petite comtesse, puis la hissaient dans l'ambulance tandis que le docteur Frère prenait place dans sa voiture.

— Je serai là-bas en même temps que vous...

Il connaissait les infirmiers. Les infirmiers le connaissaient. Il connaissait aussi la réceptionniste de l'hôpital, à qui il alla dire quelques mots, et le jeune médecin de garde. Ces gens-là parlaient peu, toujours comme en code, parce qu'ils avaient l'habitude de travailler ensemble.

— Le 41 est libre...

— Combien de comprimés ?

— Elle ne s'en souvient pas. Le tube a été trouvé vide.

— Elle a vomi ?

Cette infirmière-ci était aussi familière au docteur Frère que celle du George V. Pendant qu'elle s'affairait, il allumait enfin une cigarette.

Lavage d'estomac. Pouls. Nouvelle piqûre.

— Il n'y a plus qu'à la laisser dormir. Prenez son pouls toutes les demi-heures.

— Oui, docteur.

Il redescendait par un ascenseur tout pareil à

celui de l'hôtel, donnait quelques indications à la réceptionniste, qui les inscrivait.

— Vous avez averti la police?

— Pas encore...

Il regarda l'horloge blanche et noire. Quatre heures et demie.

— Passez-moi le poste de police de la rue de Berry.

Là-bas, il y avait des vélos devant la porte, sous la lanterne. A l'intérieur, deux jeunes agents jouaient aux cartes et un brigadier se préparait du café sur une lampe à alcool.

— Allo... Poste de la rue de Berry... Docteur comment?... Frère?... Comme un frère?... Bon... J'écoute... Un instant...

Le brigadier saisit un crayon, nota sur un bout de papier les indications qu'on lui fournissait.

— Oui... Oui... J'annonce que vous allez envoyer votre rapport... Elle est morte?...

Il raccrocha, dit aux deux autres qui le regardaient :

— Gardénal... George V...

Pour lui, cela représentait simplement du travail en plus. Il décrocha en soupirant.

— Le central?... Ici, le poste de la rue de Berry... C'est moi, Marchal?... Comment ça va, là-bas?... Ici, c'est calme... La bagarre?... Non, on ne les a pas gardés au poste... Un des types connaît des tas de gens, tu comprends?... J'ai dû téléphoner au commissaire, qui m'a dit de les relâcher...

Il s'agissait d'une bagarre dans un cabaret de nuit de la rue de Ponthieu.

— Bon! J'ai autre chose... Un gardénal... Tu prends note?... Comtesse... Oui, une comtesse... Vraie ou fausse, je n'en sais rien... Palmieri... P comme Paul, a comme Arthur, l comme Léon, m comme... Palmieri, oui... Hôtel George V... Appartement 332... Docteur Frère, comme un frangin... Hôpital Américain de Neuilly... Oui, elle a parlé... Elle a voulu mourir, puis elle n'a plus voulu... La vieille rengaine...

A cinq heures et demie, l'inspecteur Justin, du VIII⁰ arrondissement, questionnait le concierge de nuit du George V, inscrivait quelques mots dans son calepin, parlait ensuite à Jules, le garçon, puis se dirigeait vers l'hôpital de Neuilly, où on lui déclara que la comtesse dormait et que ses jours n'étaient pas en danger.

A huit heures du matin, il pluvinait toujours, mais le ciel était clair et Lucas, légèrement enrhumé, prenait place à son bureau du quai des Orfèvres où les rapports de la nuit l'attendaient.

Il retrouvait ainsi la trace, en quelques phrases administratives, de la bagarre de la rue de Ponthieu, d'une dizaine de filles appréhendées, de quelques ivrognes, d'une attaque au couteau rue de Flandre et de quelques autres incidents qui ne sortaient pas de la routine.

Six lignes le mettaient aussi au courant de la tentative de suicide de la comtesse Palmieri, née La Serte.

Maigret arriva à neuf heures, un peu soucieux à cause de la fille du député.

— Le chef ne m'a pas demandé?

— Pas encore.

— Rien d'important au rapport?

Lucas hésita une seconde, jugea en fin de compte qu'une tentative de suicide, même au George V, n'était pas une chose importante et répondit :

— Rien...

Il ne se doutait pas qu'il commettait ainsi une faute grave, qui allait compliquer l'existence de Maigret et de toute la P.J.

Quand la sonnerie retentit dans le couloir, le commissaire, quelques dossiers à la main, sortit de son bureau et, avec les autres chefs de service, se rendit chez le grand patron. Il fut question d'affaires en cours, qui regardaient les différents commissaires, mais, faute de savoir, il ne parla pas de la comtesse Palmieri.

A dix heures, il était de retour dans son bureau et, la pipe à la bouche, commençait son rapport sur une attaque à main armée qui s'était produite trois jours plus tôt et dont il espérait arrêter les auteurs à bref délai grâce à un béret alpin abandonné sur les lieux.

Un certain John T. Arnold, vers le même moment, qui, à l'Hôtel Scribe, sur les Grands Boulevards, prenait son petit déjeuner, en pyjama et en robe de chambre, décrocha le téléphone.

— Allo, mademoiselle... Voulez-vous me demander le colonel Ward, à l'Hôtel George V ?

— Tout de suite, M. Arnold.

Car M. Arnold était un vieux client, qui habitait le Scribe presque à l'année.

La téléphoniste du Scribe et celle du George V se connaissaient, sans s'être jamais vues, comme les téléphonistes se connaissent.

— Allo, mon petit, veux-tu me passer le colonel Ward?

— Pour Arnold?

Les deux hommes avaient l'habitude de se téléphoner plusieurs fois par jour et le coup de téléphone de dix heures du matin était une tradition.

— Il n'a pas encore sonné pour son petit déjeuner... Je l'appelle quand même?...

— Attends... Je demande à mon client...

La fiche passait d'un trou à l'autre.

— M. Arnold?... Le colonel n'a pas encore sonné pour son petit déjeuner... Je le fais réveiller?

— Il n'a pas laissé de message?

— On ne m'a rien dit...

— Il est bien dix heures?

— Dix heures dix...

— Appelez-le...

La fiche, à nouveau.

— Sonne-le, ma petite... Tant pis s'il grogne...

Silence sur la ligne. La téléphoniste du Scribe eut le temps de donner trois autres communications, dont une avec Amsterdam.

— Allo, mon petit, tu n'oublies pas mon colonel?

— Je le sonne sans arrêt. Il ne répond pas.

Quelques instants plus tard, le Scribe appelait encore le George V.

— Ecoute, ma petite. J'ai dit à mon client que le colonel ne répondait pas. Il prétend que c'est impossible, que le colonel attend son coup de téléphone à dix heures, que c'est très important...

— Je vais le sonner une fois de plus...

Puis, après une vaine tentative :

— Attends un moment. Je demande au concierge s'il est sorti.

Un silence.

— Non. Sa clef n'est pas au tableau. Que veux-tu que je fasse?

Dans son appartement, John T. Arnold s'impatientait.

— Eh! Bien, mademoiselle? Vous oubliez ma communication?

— Non, M. Arnold. Le colonel ne répond pas. Le concierge ne l'a pas vu sortir et sa clef n'est pas au tableau...

— Qu'on envoie le garçon frapper à sa porte...

Ce n'était plus Jules, mais un Italien, nommé Gino qui avait pris la relève au troisième étage, où l'appartement du colonel Ward se trouvait à cinq portes de celui de la comtesse Palmieri.

Le garçon rappela le concierge.

— On ne répond pas et la porte est fermée à clef.

Le concierge se tourna vers son assistant.

— Va voir...

L'assistant sonna à son tour, frappa, murmura :

— Colonel Ward...

Puis il tira un passe-partout de sa poche et parvint à ouvrir la porte.

Dans l'appartement, les volets étaient fermés et une lampe restait allumée sur une table du salon. La chambre à coucher était éclairée aussi, le lit préparé pour la nuit, avec le pyjama déplié.

— Colonel Ward...

Il y avait des vêtements sombres sur une chaise,

des chaussettes sur le tapis, deux souliers, dont
un, à l'envers, qui montrait la semelle.

— Colonel Ward !...

La porte de la salle de bain était contre. L'aide
du concierge frappa d'abord, puis la poussa et
dit simplement :

— M...!

Il faillit téléphoner, de la chambre, mais il
avait si peu envie de rester là qu'il préféra sortir de l'appartement, dont il referma la porte, et,
négligeant l'ascenseur, descendre l'escalier en
courant.

Trois ou quatre clients entouraient le concierge
qui consultait un horaire des lignes d'avions
transatlantiques. L'assistant parla bas à l'oreille
de son chef.

— Il est mort...

— Un instant...

Puis le concierge, découvrant seulement le
sens des mots qu'il venait d'entendre :

— Qu'est-ce que tu dis ?

— Mort... Dans sa baignoire...

En anglais, le concierge s'adressait à ses
clients pour leur demander de patienter une minute. Il traversait le hall, se penchait sur le bureau des réceptionnistes.

— M. Gilles est dans son bureau ?

On lui fit signe que oui et il alla frapper à une
porte qui se trouvait dans l'angle gauche.

— Excusez-moi, M. Gilles... Je viens de faire
monter René chez le colonel... Il parait qu'il
est mort, dans sa baignoire...

M. Gilles portait des pantalons rayés, un ves·

ton de cheviotte noire. Il se tourna vers sa secrétaire.

— Appelez tout de suite le docteur Frère. Il
doit être occupé à faire ses visites. Qu'on s'ar-
range pour le rejoindre...

M. Gilles savait, lui, des choses que la police
ignorait encore. Le concierge, M. Albert, aussi.

— Qu'est-ce que vous en pensez, Albert?

— Comme vous, sans doute...

— On vous a mis au courant, au sujet de la
comtesse?

Un signe de la tête suffit.

— Je monte...

Mais, comme il n'avait pas envie d'y aller
seul, il choisit pour l'accompagner un des jeunes
gens en jaquette, aux cheveux gominés, de la
réception. En passant devant le concierge, qui
avait repris sa place, il lui dit :

— Prévenez l'infirmière... Qu'elle descende tout
de suite au 347...

Le hall n'était pas vide, comme la nuit. Les
trois Américains discutaient toujours de l'avion
qu'ils prendraient. Un couple, qui venait de dé-
barquer, remplissait sa fiche à la réception. La
fleuriste était à son poste, et la marchande de
journaux, non loin du préposé aux billets de
théâtre. Dans les fauteuils, quelques personnes
attendaient, entre autres la première vendeuse
d'un grand couturier avec un carton de robes.

Là-haut, au seuil de la salle de bains du 347,
le directeur n'osait plus regarder le corps obèse
du colonel, drôlement couché dans la baignoire,
la tête sous l'eau, le ventre seul émergeant.

— Appelle-moi la...

Il se ravisait en entendant une sonnerie dans la chambre voisine, se précipita.

— M. Gilles?

C'était la voix de la téléphoniste.

— J'ai pu rejoindre le docteur Frère chez un de ses patients, rue François Iᵉʳ. Il sera ici dans quelques minutes.

Le jeune homme de la réception questionnait :

— Qui est-ce que je dois appeler?

La police, évidemment. En cas d'accident de ce genre, c'est indispensable. M. Gilles connaissait le commissaire du quartier, mais les deux hommes ne sympathisaient guère. En outre, les gens du commissariat agissaient parfois avec un manque de doigté gênant dans un hôtel comme le George V.

— Appelle-moi la Police Judiciaire.

— Qui?

— Le directeur.

S'ils s'étaient trouvés plusieurs fois ensemble à des dîners, ils n'avaient échangé que quelques phrases, mais cela suffisait comme introduction.

— Allo!... Le directeur de la Police Judiciaire?... Excusez-moi de vous déranger, M. Benoit... Ici, Gilles, directeur du George V... Allo!... Il vient de se passer... Je veux dire que je viens de découvrir...

Il ne savait plus comment s'y prendre.

— Il s'agit malheureusement d'une personnalité importante, mondialement connue... Le colonel Ward... Oui... David Ward... Un des membres de mon personnel l'a trouvé mort, il y a un moment, dans sa baignoire... Je ne sais rien d'autre, non... J'ai préféré vous appeler tout de suite... J'attends le médecin d'un instant à l'autre... Inutile de vous demander...

La discrétion, bien sûr. Il n'avait aucune envie de voir journalistes et photographes assaillir l'hôtel.

— Non... Non, évidemment... Je vous promets qu'on ne touchera à rien... Je reste en personne dans l'appartement... Voici justement le docteur Frère... Vous désirez lui parler?...

Le docteur, qui ne savait encore rien, prenait l'écouteur qu'on lui tendait.

— Docteur Frère à l'appareil... Allo!... Oui... J'étais chez un malade et j'arrive à l'instant... Vous dites?... Je ne peux pas dire que ce soit un de mes clients, mais je le connais... Une seule fois, j'ai eu à le soigner d'une grippe bénigne... Comment?... Très solide, au contraire, malgré la vie qu'il mène... Qu'il menait, si vous voulez... Excusez-moi... Je n'ai pas encore vu le corps... Entendu... Oui... Oui... J'ai compris... A tout à l'heure, Monsieur le Directeur... Vous voulez lui parler à nouveau?... Non?...

Il raccrocha, demanda :

— Où est-il?

— Dans la baignoire.

— Le directeur de la P.J. recommande qu'on ne touche à rien en attendant qu'il envoie quelqu'un...

M. Gilles s'adressait au jeune employé de la réception.

— Tu peux descendre. Qu'on guette les gens qui viendront de la police et qu'on les fasse monter discrètement... Pas de bavardages à ce sujet dans le hall, s'il te plaît... Compris?

— Oui, monsieur le directeur.

Une sonnerie, dans le bureau de Maigret.

— Voulez-vous passer un instant chez moi?

C'était la troisième fois que le commissaire était dérangé depuis qu'il avait commencé son rapport sur le vol à main armée. Il ralluma la pipe qu'il avait laissée s'éteindre, franchit le couloir, frappa à la porte du chef.

— Entrez, Maigret... Asseyez-vous...

Des rayons de soleil commençaient à se mêler à la pluie et il y en avait sur l'encrier de cuivre du directeur.

— Vous connaissez le colonel Ward?

— J'ai lu son nom dans les journaux. C'est l'homme aux trois ou quatre femmes, non?

— On vient de le trouver mort dans sa baignoire, au George V.

Maigret ne broncha pas, plongé qu'il était encore dans son histoire de *hold up*.

— Je crois préférable que vous alliez là-bas en personne. Le médecin, qui est plus ou moins attaché à l'hôtel, vient de me dire que le colonel jouissait hier encore d'une excellente santé et qu'à sa connaissance il n'avait jamais souffert de troubles cardiaques... La presse va s'en occuper, non seulement la presse française mais la presse internationale...

Maigret avait en horreur ces histoires de personnages trop connus dont on ne peut s'occuper qu'en mettant des gants.

— J'y vais, dit-il.

Une fois de plus, son rapport attendrait. L'air grognon, il poussa la porte du bureau des inspecteurs, se demandant qui choisir pour l'accom-

pagner. Janvier était là, mais il s'était occupé,
lui aussi, du vol à main armée.

— Va donc dans mon bureau et essaie de continuer mon rapport... Toi, Lapointe...

Le jeune Lapointe leva la tête, tout heureux.

— Mets ton chapeau. Tu m'accompagnes...

Puis, à Lucas :

— Si on me demande, je suis au George V.

— L'histoire d'empoisonnement ?

C'était venu spontanément et Lucas rougit.

— Quelle histoire d'empoisonnement ?

Lucas bégayait :

— La comtesse...

— De qui parles-tu ?

— Il y avait quelque chose dans les rapports,
ce matin, au sujet d'une comtesse au nom italien
qui a tenté de se suicider au George V. Si je ne
vous en ai rien dit...

— Où est le rapport ?

Lucas fouilla les papiers amoncelés sur son bureau, en tira une feuille administrative.

— Elle n'est pas morte... C'est pourquoi...

Maigret parcourait les quelques lignes.

— On a pu la questionner ?

— Je ne sais pas. Quelqu'un du VIII⁰ arrondissement s'est rendu à l'hôpital de Neuilly...
Je ne sais pas encore si elle était en état de parler...

Maigret ignorait que, cette même nuit, un peu
avant deux heures du matin, la comtesse Palmieri et le colonel David Ward étaient descendus
de taxi devant le George V et que le concierge
ne s'était pas étonné de les voir s'approcher ensemble pour prendre leurs clefs.

Jules, le garçon d'étage, ne s'était pas montré surpris non plus quand, répondant à la sonnerie du 332, il avait trouvé le colonel chez la comtesse.

— Comme d'habitude, Jules ! lui avait dit celle-ci.

Cela signifiait une bouteille de Krug 1947 et une bouteille non entamée, non débouchée, de Johnny Walker, car le colonel se méfiait du whisky qu'il ne débouchait pas lui-même.

Lucas, qui s'attendait à une réprimande, fut plus mortifié quand Maigret le regarda d'un air surpris, comme si un tel manque de jugement était incroyable de la part de son plus ancien collaborateur.

— Viens, Lapointe...

Ils croisèrent une petite crapule que le commissaire avait convoquée.

— Repasse me voir cet après-midi.

— A quelle heure, chef ?

— L'heure que tu voudras...

— Je prends une voiture ? questionna Lapointe.

Ils en prirent une. Lapointe se mit au volant. Au George V, le portier avait des instructions.

— Laissez. Je vais la ranger...

Tout le monde avait des instructions. A mesure que les deux policiers avançaient, les portes s'ouvraient et ils se trouvèrent en un clin d'oeil au seuil du 347 où se tenait le directeur, alerté par téléphone.

Maigret n'avait pas eu souvent l'occasion d'opérer au George V, mais il y avait quand même été appelé deux ou trois fois et il connaissait M. Gilles, à qui il serra la main. Le docteur

Frère attendait dans le salon, près du guéridon
sur lequel sa trousse noire était posée. C'était un
homme bien, très calme, qui avait une clientèle
importante et qui connaissait presque autant de
secrets que Maigret lui-même. Seulement, il évo-
luait dans un monde différent, où la police n'a
que rarement l'occasion de pénétrer.

— Mort?

Un battement de cils.

— Vers quelle heure?

— Seule l'autopsie l'établira avec exactitude,
si, comme je le suppose, une autopsie est ordonnée.

— Il ne s'agit pas d'un accident?

— Venez voir...

Maigret n'apprécia pas plus que M. Gilles le
spectacle qu'offrait le corps nu dans la baignoire.

— Je ne l'ai pas déplacé car, du point de vue
médical, c'était inutile. A première vue, cela
pourrait être un de ces accidents comme il s'en
produit plus souvent qu'on ne le pense dans les
baignoires. On glisse, la tête porte sur le bord
et...

— Je sais... Seulement, cela ne laisse pas de
traces sur les épaules... C'est ce que vous vouliez dire?

Maigret avait, lui aussi, remarqué deux taches
plus foncées sur les épaules du mort, semblables
à des ecchymoses.

— Vous pensez qu'on l'a aidé, n'est-ce pas?

— Je ne sais pas... Je préférerais que le médecin légiste tranche la question...

— Quand l'avez-vous vu pour la dernière fois
vivant?

— Il y a environ une semaine, lorsque je suis venu donner une piqûre à la comtesse...

M. Gilles se rembrunit. Son intention avait-elle été d'éviter qu'il soit question de celle-ci?

— Une comtesse au nom italien?

— La comtesse Palmieri.

— Celle qui a tenté de se suicider la nuit dernière?

— Je ne suis pas sûr, à vrai dire, que sa tentative ait été sérieuse. Qu'elle ait pris une certaine quantité de phéno-barbutal, c'est certain. Je savais d'ailleurs qu'elle en usait régulièrement le soir. Elle a forcé le dose mais je doute qu'elle en ait ingurgité une quantité suffisante pour provoquer la mort.

— Un faux suicide?

— Je me le demande...

Ils avaient l'habitude, l'un comme l'autre, des femmes — presque toujours des jolies femmes! — qui, à la suite d'une dispute, d'une déception, d'une histoire amoureuse prennent juste assez de somnifère pour donner les symptômes d'un empoisonnement, sans toutefois mettre leurs jours en danger.

— Vous dites que le colonel était présent quand vous avez fait une piqûre à la comtesse?

— Lorsqu'elle était à Paris, je lui en faisais deux par semaine... Vitamines B et C. Rien de bien méchant... Surmenage... Vous comprenez?

— Et le colonel...?

M. Gilles préféra répondre lui-même.

— Le colonel et la comtesse entretenaient des relations étroites... Chacun avait son apparte-

ment, je me suis toujours demandé pourquoi,
car...

— Il était son amant?

— C'était une situation admise, pour ainsi dire
officielle. Voilà déjà deux ans, si je ne me
trompe, que le colonel a demandé le divorce et,
dans leur milieu, on s'attendait à ce qu'une fois
libre il épouse la comtesse...

Maigret faillit demander avec une fausse naïveté :

— Quel milieu?

A quoi bon? Le téléphone sonnait. Lapointe
regardait son patron pour savoir ce qu'il devait
faire. Il était visible que le décor impressionnait
le jeune inspecteur.

— Réponds...

— Allo... Comment?... Oui, il est ici... C'est
moi, oui...

— Qui est-ce? demanda Maigret.

— Lucas voudrait vous dire un mot.

— Allo, Lucas...

Celui-ci, pour rattraper sa faute du matin,
s'était mis en rapport avec l'Hôpital Américain
de Neuilly.

— Je vous demande pardon, patron... Je ne
me le pardonnerai pas... Elle n'est pas rentrée
à l'Hôtel?...

La comtesse Palmieri venait de quitter sa chambre d'hôpital, où on l'avait laissée seule, et elle
était partie sans qu'on songe à l'en empêcher.

CHAPITRE

2

Où il continue à être question de gens qui ont sans cesse leur nom dans les journaux ailleurs qu'à la rubrique des faits-divers.

Il y eut, vers ce moment-là, un incident, insignifiant en apparence, qui devait pourtant influer sur l'humeur de Maigret pendant toute l'enquête. Lapointe en fut-il conscient, ou le commissaire lui attribua-t-il une réaction qu'il n'avait pas?

Déjà un peu plus tôt, quand M. Gilles avait parlé du milieu auquel appartenait la Comtesse Palmieri et le colonel Ward, le commissaire s'était retenu de demander :

— Quel milieu?

S'il l'avait fait, n'aurait-on pas senti dans sa voix une pointe d'agacement, d'ironie, peut-être d'agressivité?

Cela lui rappelait une impression qu'il avait eue au temps de ses débuts dans la police. Il avait à peu près l'âge de Lapointe et on l'avait envoyé, pour une simple vérification, dans le quartier même où il se trouvait à présent, entre l'Etoile et la Seine, il ne se rappelait pas le nom de la rue.

C'était encore l'époque des hôtels particuliers, des « maisons de maîtres », le jeune Maigret avait eu la sensation de pénétrer dans un nouvel univers. Ce qui l'avait le plus frappé, c'était la qualité du silence, loin de la foule et du vacarme des transports en commun. On entendait seulement des chants d'oiseaux, le bruit rythmé du sabot des chevaux montés par des amazones et des cavaliers en melon clair qui se dirigeaient vers le Bois.

Même les immeubles de rapport avaient une physionomie comme secrète. Dans les cours, on voyait des chauffeurs astiquer les voitures, parfois, sur un seuil ou à une fenêtre, un valet de chambre en gilet rayé ou un maître d'hôtel à la cravate blanche.

De la vie des maîtres, portant presque tous des noms connus, qu'on lisait le matin dans le *Figaro* ou dans le *Gaulois,* l'inspecteur d'alors ne savait à peu près rien, et il avait la gorge serrée en sonnant à un de ces majestueux portails.

Aujourd'hui, dans l'appartement 347, il n'était certes plus le débutant de jadis. Et la plupart des hôtels particuliers avaient disparu, beaucoup de rues naguère silencieuses étaient devenues des rues commerçantes.

Il ne s'en trouvait pas moins dans ce qui avait remplacé les quartiers aristocratiques et le George V s'y dressait comme le centre d'un univers particulier qui lui était peu familier.

Les journaux publiaient les noms de ceux qui dormaient encore ou qui étaient en train de prendre leur petit déjeuner dans les appartements voisins. L'avenue elle-même, la rue François Iᵉʳ, l'avenue Montaigne constituaient un monde à part où, sur les plaques des maisons, on lisait les noms des grands couturiers et où dans les vitrines, à la simple devanture d'un chemisier, on voyait des choses inconnues partout ailleurs.

Est-ce que Lapointe, qui vivait dans un meublé modeste de la Rive Gauche, n'était pas désorienté? N'éprouvait-il pas, comme le Maigret de jadis, un respect involontaire pour ce luxe qu'il découvrait soudain?

— Un policier, le policier idéal, devrait se sentir à son aise dans tous les milieux...

C'était Maigret qui avait dit cela un jour et, toute sa vie, il s'était efforcé d'oublier les différences de surface qui existent entre les hommes, de gratter le vernis pour découvrir, sous les apparences diverses, l'homme tout nu.

Or, malgré lui, ce matin, quelque chose l'agaçait dans l'atmosphère qui l'entourait. M. Gilles, le directeur, était un excellent homme, en dépit de ses pantalons rayés, d'une certaine suavité professionnelle, de sa peur des histoires, et il en était de même du médecin habitué à soigner des personnes illustres.

C'était un peu comme s'il eût senti entre eux une sorte de complicité. Ils prononçaient les mêmes mots que tout le monde, et pourtant ils parlaient un autre langage. Quand ils disaient

2

« la comtesse » ou « le colonel », cela avait un
sens qui échappait au commun des mortels.

Ils étaient dans le secret, en somme. Ils appartenaient, ne fût-ce qu'à titre de comparses, à un
monde à part auquel le commissaire refusait par
honnêteté, de se montrer hostile a priori.

Tout cela, il le pensait confusément, il le sentait plutôt, alors qu'il raccrochait le téléphone et
qu'il se tournait vers le médecin pour lui demander :

— Croyez-vous que, si la comtesse avait réellement absorbé une dose de barbiturique suscep-
tible de la tuer, il lui aurait été possible, après
vos soins, il y a une demi-heure, par exemple,
de se lever sans aide et de quitter l'hôpital ?

— Elle est partie ?

Les volets de la chambre à coucher étaient
toujours baissés mais on avait ouvert ceux du
salon et un peu de soleil, un reflet plutôt, pénétrait dans la pièce. Le médecin était debout près
du guéridon sur lequel se trouvait sa trousse. Le
directeur de l'hôtel se tenait, lui, à proximité de
la porte du salon, et Lapointe à droite de Maigret, un peu en retrait.

Le mort était toujours dans la baignoire et la
salle de bain, dont la porte restait ouverte, était
la pièce la plus éclairée.

Le téléphone sonna une fois de plus. Le directeur décrocha, après un coup d'oeil au commissaire, comme pour lui en demander la permission.

— Allo, oui ?... C'est moi... Il monte ?...

Tout le monde le regardait et il cherchait quelque chose à dire, le visage soucieux, quand la
porte qui donnait sur le couloir fut poussée.

Un homme d'une cinquantaine d'années, aux cheveux argentés, au teint bruni par le soleil, qui portait un complet de fil à fil gris clair, regarda tour à tour les personnages réunis dans la pièce, aperçut enfin M. Gilles.

— Ah! vous êtes là... Qu'est-il arrivé à David?... Où est-il?...

— Hélas, M. Arnold...

Il désignait la salle de bain puis, tout naturellement, se mettait à parler anglais.

— Comment avez-vous su?

— J'ai téléphoné cinq fois ce matin... répondait M. Arnold dans la même langue.

C'était encore un détail qui accroissait l'agacement de Maigret. Il comprenait l'anglais, non sans effort, mais était loin de le parler couramment. Or, le docteur, à son tour, adoptait cette langue.

— Hélas, M. Arnold, il n'y a aucun doute qu'il soit mort...

Le nouveau venu s'était campé sur le seuil de la salle de bain où il était resté un bon moment à regarder le corps dans la baignoire et on avait vu ses lèvres remuer, comme s'il récitait une prière muette.

— Un stupide accident, n'est-ce pas?

Dieu sait pourquoi, il employait à nouveau le français, qu'il parlait sans presque d'accent.

C'est à cet instant précis qu'eut lieu l'incident. Maigret se trouvait près de la chaise sur laquelle était jeté le pantalon du mort. On y voyait une mince chaîne en platine, attachée à un bouton à hauteur de la ceinture, à l'autre bout de laquelle, dans la poche, un objet devait être fixé, clef ou montre.

Machinalement, le commissaire avait tendu la main pour saisir la chaîne, par pure curiosité, et, alors qu'il était au milieu de son geste, le nommé Arnold s'était tourné vers lui, le regardant sévèrement comme pour l'accuser d'une incongruité ou d'une indélicatesse.

Tout cela fut beaucoup plus subtil que les mots. Juste un coup d'œil, à peine appuyé, un changement à peine perceptible d'expression.

Or, Maigret lâcha la chaîne et prit une attitude dont il eut aussitôt honte, car c'était l'attitude d'un coupable.

Lapointe s'en était-il réellement aperçu et l'avait-il fait exprès de détourner la tête?

Ils étaient trois, au Quai, — et c'était devenu un sujet de plaisanterie — à vouer au commissaire une admiration qui confinait à un culte : Lucas, le plus ancien, Janvier, qui avait été jadis aussi jeune, aussi inexpérimenté et aussi ardent que Lapointe, et enfin celui-ci, le « petit Lapointe » comme on disait.

Venait-il d'être désillusionné, ou seulement gêné, en voyant le patron se laisser prendre, comme lui-même, par l'ambiance dans laquelle ils se trouvaient plongés?

Maigret réagit, se durcit, et ce fut peut-être aussi une maladresse, il en avait conscience, mais il ne pouvait pas faire autrement.

— C'est moi qui désire vous poser quelques questions, M. Arnold..

L'Anglais ne lui demanda pas qui il était, se tourna vers M. Gilles qui expliqua :

— Le commissaire Maigret, de la Police Judiciaire...

Un petit signe de tête, vague, à peine poli.

— Puis-je vous demander qui vous êtes et pourquoi vous êtes venu ici ce matin?

Une fois encore, Arnold regarda le directeur, l'air surpris, comme si la question était pour le moins surprenante.

— M. John T. Arnold est...

— Laissez-le répondre lui-même, voulez-vous? Et l'Anglais :

— Nous pourrions peut-être passer au salon?

Avant cela, il alla encore jeter un coup d'oeil dans la salle de bain, comme pour rendre une fois de plus ses devoirs au mort.

— Vous avez encore besoin de moi? demanda le docteur Frère?

— Du moment que je sais où vous trouver...

— Je tiens ma secrétaire au courant de mes déplacements... L'hôtel a mon numéro de téléphone...

Arnold disait, en anglais, à M. Gilles :

— Voulez-vous me faire monter un scotch, s'il vous plaît?

Et Maigret, avant de reprendre la conversation, décrochait le téléphone.

— Donnez-moi le Parquet, mademoiselle...

— Quel parquet?

Ici, on ne parlait pas le même langage qu'au quai des Orfèvres. Il dit le numéro.

— Voulez-vous me passer le procureur ou un des substituts?... Le commissaire Maigret... Oui...

Pendant qu'il attendait, M. Gilles trouva le temps de murmurer :

— Pouvez-vous demander à ces messieurs d'agir discrètement, d'entrer à l'hôtel comme si de rien n'était et...

— Allo !... Je suis à l'Hôtel George V, monsieur le Procureur... On vient de découvrir un mort dans une salle de bain, le colonel David Ward... Ward, oui... Le corps est encore dans la baignoire et certains indices laissent supposer que le décès n'a pas été accidentel... Oui... C'est ce qu'on m'a dit...

Le procureur venait, à l'autre bout du fil, de prononcer :

— Vous savez que David Ward est un homme *très important?*

Maigret écoutait néanmoins sans impatience.

— Oui... oui... Je reste ici... Il y a eu un autre événement la nuit dernière, au même hôtel... Je vous en parlerai tout à l'heure... Oui... A tout de suite, M. le Procureur...

Pendant qu'il parlait, un garçon en veste blanche avait fait une courte apparition et M. Arnold s'était installé dans un fauteuil, avait allumé un cigare dont il avait coupé le bout lentement, soigneusement.

— Je vous ai demandé...

— Qui je suis et ce que je fais ici... A mon tour de vous demander : savez-vous qui est... je dois dire maintenant *qui était* mon ami David Ward?

Ce n'était peut-être pas de l'insolence, après tout, mais une assurance innée. Arnold était ici chez lui. Le directeur hésitait à l'interrompre, le faisait enfin à la façon dont un écolier, en classe, demande la permission d'aller aux lavabos.

— Vous m'excusez, messieurs... Je voudrais savoir si je peux descendre pour donner quelques instructions...

— Nous attendons le Parquet.

— J'ai entendu, oui...

— On aura besoin de vous. J'attends aussi les spécialistes de l'Identité Judiciaire et les photographes, ainsi que le médecin-légiste...

— Pourrai-je faire entrer une partie tout au moins de ces messieurs par la porte de service?... Vous devez me comprendre, commissaire... S'il y a trop d'allées et venues dans le hall et si...

— Je comprends...

— Je vous remercie...

— On vous monte votre whisky tout de suite, M. Arnold... Vous prendrez peut-être quelque chose, messieurs?...

Maigret fit non de la tête et le regretta, car il aurait bien bu une gorgée d'alcool lui aussi.

— Je vous écoute, M. Arnold... Vous disiez?...

— Je disais que vous avez sans doute lu le nom de mon ami David dans les journaux, comme tout le monde... Le plus souvent, on le fait précéder du mot milliardaire... Le « milliardaire anglais »... Et, si on compte en francs, c'est exact... En livres, non...

— Quel âge? coupa Maigret.

— Soixante-trois ans... David n'a pas fait sa fortune seul mais, comme on dit chez nous, il est né avec une cuiller d'argent dans la bouche...

Son père possédait déjà les plus grosses tréfileries de Manchester, fondées par son grand'père...
Vous me suivez?

— Je vous suis.

— Je n'irai pas jusqu'à dire que l'affaire marchait toute seule et que David n'avait pas à s'en
occuper, mais elle lui demandait peu d'activité,
une entrevue, de temps en temps, avec ses directeurs, des conseils d'administration, des signa-
tures à donner...

— Il ne vivait pas à Manchester?

— Presque jamais.

— Si j'en crois les journaux...

— Les journaux ont adopté une fois pour
toutes deux ou trois douzaines de personnalités
dont ils relatent les moindres faits et gestes. Cela
ne veut pas dire que tout ce qu'ils racontent
soit exact. Ainsi, en ce qui concerne les divorces
de David, on a imprimé beaucoup d'inexactitu-
des... Mais ce n'est pas cela que je voudrais vous
faire comprendre... Pour la plupart des gens,
David, qui avait hérité d'une fortune considérable, d'une affaire solidement établie, n'avait
rien d'autre à faire que de passer son temps
gaiement à Paris, à Deauville, à Cannes, à Lausanne ou à Rome, fréquentant les cabarets et les
champs de courses, entouré de jolies femmes et
de personnalités aussi connues que lui... Or, ce
n'est pas le cas...

M. Arnold prit son temps, contempla un instant la cendre blanche de son cigare, fit un
signe au garçon qui entrait et saisit le verre de
whisky sur le plateau.

— Vous permettez?

Puis, se calant dans son fauteuil :

— Si David n'a pas mené, à Manchester, la
vie habituelle d'un gros industriel anglais, c'est,
justement, parce que sa situation, là-bas, était
faite d'avance, qu'il n'avait qu'à y continuer
l'oeuvre de son père et de son grand-père, ce qui
ne l'intéressait pas. Vous comprenez cela ?

Et, à la façon dont il regardait le commissaire,
puis le jeune Lapointe, on sentait qu'il considérait
les deux hommes comme incapables de comprendre ce sentiment-là.

— Les Américains ont un mot que, nous autres
Anglais, employons rarement... Ils disent un
« playboy » ce qui signifie un homme riche dont
le seul but dans la vie est de prendre du bon
temps, passant du polo aux sports d'hiver, courant des régates, fréquentant les cabarets en compagnie agréable...

— Le Parquet ne va pas tarder à arriver, remarqua Maigret en regardant sa montre.

— Je m'excuse de vous infliger ce discours,
mais vous m'avez posé une question à laquelle il
est impossible de répondre en quelques mots...
Peut-être aussi mon intention est-elle de vous
éviter des gaffes... C'est bien ainsi que vous
dites ?... Loin d'être un « playboy », David Ward
s'occupait, à titre personnel, et non pas en tant
que propriétaire des Tréfileries Ward, de Manchester, d'un certain nombre d'affaires diverses...
Seulement, il ne croyait pas nécessaire, pour travailler, de s'enfermer huit heures par jour dans
un bureau... Croyez-moi si je vous affirme qu'il
avait le génie des affaires... Il lui arrivait d'en

réaliser d'énormes dans les endroits et dans les moments les plus inattendus...

— Par exemple?

— Un jour que nous passions ensemble, dans sa Rolls, sur la Riviera italienne, une panne nous a forcés à nous arrêter dans une auberge assez modeste. Pendant qu'on préparait notre repas, David et moi nous sommes promenés à pied dans les environs. Cela se passait voilà vingt ans. Le même soir, nous étions à Rome, mais, quelques jours plus tard, j'achetais, pour le compte de David, deux mille hectares de terrains en partie couverts de vignes... Aujourd'hui, vous y verrez trois grands hôtels, un casino, une des plus jolies plages de la côte, bordée de villas... En Suisse, près de Montreux...

— En somme, vous étiez son homme d'affaires personnel...

— Son ami et son homme d'affaires, si vous voulez... Son ami d'abord car, lorsque je l'ai connu, je ne m'étais jamais occupé de commerce ni de finance...

— Vous êtes au George V aussi?

— Non, à l'Hôtel Scribe. Cela vous paraîtra bizarre mais, à Paris comme ailleurs, nous habitions presque toujours des hôtels différents, David étant très jaloux de ce que nous appelons sa « privacy »...

— C'est pour la même raison que la comtesse Palmieri occupait un appartement à l'autre bout du couloir?

Arnold rougit un peu.

— Pour cette raison-là et pour d'autres...

— C'est-à-dire...?

— C'est une question de délicatesse...

— Tout le monde n'en connaissait pas moins leurs relations?

— Tout le monde en parlait, c'est exact.

— Et c'était vrai?

— Je suppose. Je n'ai jamais posé de questions sur ce sujet.

— Vous étiez pourtant intimes...

C'était au tour d'Arnold d'être agacé. Lui aussi devait penser qu'ils ne parlaient pas le même langage, qu'ils n'étaient pas de plain-pied.

— Combien a-t-il eu de femmes légitimes?

— Trois seulement. Les journaux lui en ont attribué davantage parce que, dès qu'il rencontrait une femme et se montrait quelques fois avec elle, on annonçait un nouveau mariage.

— Les trois femmes vivent toujours?

— Oui.

— Il a eu des enfants d'elles?

— Deux. Un fils, Bobby, qui a seize ans et qui est à Cambridge, de la seconde, et une fille, Ellen, de la troisième.

— En quels termes était-il avec elles?

— Avec ses anciennes femmes? En excellents termes. C'était un gentleman.

— Il lui arrivait de les revoir?

— Il les rencontrait...

— Elles ont de la fortune?

— La première, Dorothy Payne, qui appartient à une importante famille du textile de Manchester.

— Les deux autres?

— Il a pourvu à leurs besoins.

— De sorte qu'aucune d'elles n'a intérêt à sa mort?

Arnold fronça les sourcils, en homme qui ne comprends pas, parut choqué.

— Pourquoi?

— Et la comtesse Palmieri?

— Il l'aurait sans doute épousée une fois son divorce avec Muriel Halligan rendu définitif.

— Qui, à votre avis, avait intérêt à sa mort? La réponse fut aussi rapide que précise.

— Personne.

— Vous lui connaissiez des ennemis?

— Je ne lui connais que des amis.

— Il était descendu au George V pour longtemps?

— Attendez... Nous sommes le 7 octobre...

Il prit un carnet rouge dans sa poche, un joli carnet avec couverture de cuir souple à coins d'or.

— Nous sommes arrivés le 2, venant de Cannes... Auparavant, nous étions à Biarritz, après avoir quittés Deauville le 17 août... Nous devions repartir le 13 pour Lausanne...

— Pour affaires?

Une fois de plus, Arnold regarda Maigret avec une sorte de désespoir, comme si cet homme épais était définitivement incapable de comprendre les choses les plus élémentaires.

— David a un appartement à Lausanne et y est même domicilié...

— Et ici?

— Il a cet appartement à l'année aussi, comme il en a un à Londres et un autre au Carlton de Cannes...

— Et à Manchester?

— Il possède la maison familiale des Ward,
une énorme construction de style victorien où,
je crois bien, il n'a pas dormi trois fois en trente
ans... Il avait Manchester en horreur...

— Vous connaissez bien la comtesse Paverini?

Arnold n'eut pas le temps de répondre. On entendait des pas, des voix dans le couloir. M. Gilles, plus impressionné que par Maigret, précé-
dait le Procureur de la République et un jeune
juge d'instruction avec qui le commissaire n'avait
pas encore travaillé. Il s'appelait Calas et avait
l'air d'un étudiant.

— Je vous présente M. Arnold...

— John T. Arnold... précisa celui-ci en se levant.

Maigret continuait :

— L'ami intime et l'homme d'affaires particulier du défunt.

Comme s'il était enchanté d'avoir affaire enfin
à quelqu'un d'important, et qui était peut-être
de son monde, Arnold disait au procureur :

— J'avais rendez-vous ce matin à dix heures
avec David, plus exactement je devais lui téléphoner. C'est ainsi que j'ai appris sa mort. Ici,
on me dit qu'on ne croit pas à un accident, et je
suppose que la police a de bonnes raisons pour
parler de la sorte. Ce que je voudrais vous demander, Monsieur le Procureur, c'est d'éviter que
l'on fasse trop de bruit autour de cette affaire.
David était un homme considérable et il m'est
difficile de vous dire toutes les répercussions que
sa mort va entraîner, non seulement à la Bourse,
mais dans différents milieux.

— Nous serons aussi discrets que possible, murmura le procureur. N'est-ce pas, commissaire?

Celui-ci baissa la tête.

— Je suppose, continuait Arnold, que vous avez des questions à me poser?

Le magistrat regarda Maigret, puis le juge d'instruction.

— Peut-être tout à l'heure... Je ne sais pas... Pour le moment, je crois que vous pouvez disposer...

— Si vous avez besoin de moi, je suis en bas... Au bar...

La porte refermée, ils se regardèrent, soucieux.

— Vilaine affaire, n'est-ce pas? fit le procureur. Vous avez une idée?

— Aucune. Si ce n'est qu'une comtesse Palmieri, qui était la maîtresse de Ward et qui occupait un appartement au bout du couloir, a tenté de s'empoisonner la nuit dernière. Le médecin l'a fait transporter à l'Hôpital Américain de Neuilly, où on lui a donné une chambre privée. L'infirmière allait la voir toutes les demi-heures. Tout à l'heure, elle a trouvé la chambre vide...

— La comtesse a disparu?

Maigret fit oui de la tête, ajouta :

— Je fais surveiller les gares, les aéroports et les différentes sorties de Paris.

— Curieux, non?

Maigret haussa les épaules. Qu'est-ce qu'il pouvait dire? Tout était curieux dans cette affaire, depuis le mort, qui était né avec une cuiller en argent dans la bouche et qui faisait des affaires en fréquentant les champs de course et les boîtes de nuit, jusqu'à cet homme d'affaires mondain qui lui parlait comme un professeur s'adressant à un élève obtus.

— Vous voulez le voir?

Le procureur, un magistrat fort digne, appartenant à la vieille noblesse de robe, avouait :

— J'ai téléphoné aux Affaires Etrangères... David Ward était vraiment un personnage considérable... Son titre de colonel lui vient de la guerre qu'il a faite à la tête d'une branche de l'Intelligence Service... Croyez-vous que cela puisse avoir un rapport avec sa mort?

Des pas, dans le couloir, des coups frappés à la porte, enfin l'apparition du docteur Paul, sa trousse à la main.

— J'ai bien cru qu'on allait me faire passer par l'entrée de service... C'est ce qui est en train d'arriver, en bas, aux gens de l'Identité Judiciaire... Où est le cadavre?

Il serrait la main du procureur, celle de Calas, le nouveau juge, enfin celle de Maigret.

— Alors, vieux complice?

Puis il retirait son veston et retroussait les manches de sa chemise.

— Un homme?... Une femme?...

— Un homme..

Maigret lui désigna la salle de bain et on entendit une exclamation du docteur. Les hommes de l'Identité Judiciaire arrivaient à leur tour, transportant leurs appareils, et Maigret devait s'occuper d'eux.

Au George V comme ailleurs, pour David Ward

comme pour n'importe quelle victime d'un crime, il fallait suivre la routine.

— On peut ouvrir les volets, patron?

— Oui. Ce verre-ci ne compte pas. On vient de le monter pour un témoin.

Le soleil, maintenant, inondait non seulement le salon mais la chambre, vaste et gaie, où on découvrait des quantités de menus objets personnels, presque tous rares ou précieux.

Par exemple, le réveille-matin, sur la table de nuit, était en or et sortait de chez Cartier, comme un étui à cigares traînant sur une commode, tandis que le nécessaire à manucure portait la marque d'une grande maison de Londres.

Dans la penderie, un inspecteur compta dix-huit complets, et sans doute y en avait-il autant dans les autres appartements de Ward, à Cannes, à Lausanne, à Londres...

— Vous pouvez m'envoyer le photographe, fit la voix du docteur Paul.

Maigret regardait partout et nulle part, enregistrant les moindres détails de l'appartement et de ce qui s'y trouvait.

— Téléphone donc à Lucas pour savoir s'il a des nouvelles... dit-il à Lapointe, qui semblait un peu perdu dans le brouhaha.

Il y avait trois appareils, un dans le salon, l'autre à la tête du lit, le troisième dans la salle de bains.

— Allô!... Lucas?... Ici, Lapointe...

Devant la fenêtre, Maigret s'entretenait à voix basse avec le procureur et le juge d'instruction tandis que le docteur Paul et le photographe restaient invisibles près de la baignoire.

— Nous allons voir si le docteur Paul confirme
l'opinion du docteur Frère... D'après celui-ci, les
ecchymoses...

Le médecin-légiste apparaissait enfin, jovial
comme à son habitude.

— En attendant mon rapport et, probablement,
l'autopsie, car je suppose qu'elle sera ordonnée,
je peux vous dire ceci :

« Primo : ce type-là était bâti pour vivre au
moins quatre-vingts ans.

« Secundo : il était passablement saoul quand
il est entré dans sa baignoire.

« Tertio : il n'a pas glissé et la personne qui l'a
aidé à passer de vie à trépas a déployé une certaine
énergie pour le maintenir sous l'eau.

« C'est tout pour le moment. Si on veut me
l'envoyer à l'Institut Médicolégal, j'essayerai
d'en découvrir davantage... »

Les deux magistrats échangèrent un coup
d'oeil. Autopsie ? Pas autopsie ?

— Il a de la famille ? demanda le procureur à
Maigret.

— Autant que j'ai pu comprendre, il a deux
enfants, tous les deux mineurs, et le divorce
d'avec sa troisième femme n'était pas encore définitif.

— Des frères, des soeurs ?

— Un instant...

Il décrocha à nouveau. Lapointe lui faisait
signe qu'il avait à lui parler, mais le commissaire
demandait d'abord le bar.

— M. Arnold, s'il vous plaît.

— Un instant...

Un peu plus tard, Maigret annonçait au magistrat :

— Pas de soeur. Il a eu un frère, tué aux Indes à l'âge de vingt-deux ans... Il lui reste des cousins avec qui il n'entretenait aucune relation... Qu'est-ce que que tu voulais, Lapointe?

— Lucas m'a appris un détail qu'on vient de lui communiquer. Ce matin, vers neuf heures, la comtesse Palmieri, de sa chambre, a demandé plusieurs numéros de téléphone...

— On les a notés?

— Pas ceux de Paris, deux ou trois, paraît-il, dont deux fois le même. Elle a ensuite appelé Monte-Carlo...

— Quel numéro?

— L'Hôtel de Paris...

— On ne sait pas qui?

— Non. Vous voulez que je demande l'Hôtel de Paris?

On restait dans un même milieu. Ici, le George V. A Monte-Carlo, l'hôtel le plus fastueux de la Côte d'Azur.

— Allo, mademoiselle, donnez-moi l'Hôtel de Paris, à Monte-Carlo, s'il vous plaît... Comment?...

Il se tourna, embarrassé, vers le commissaire.

— Elle demande sur le compte de qui elle doit mettre la communication. Et Maigret, avec impatience :

— Sur celui de Ward... Ou sur le mien, si elle préfère...

— Allo, mademoiselle... C'est de la part du commissaire Maigret... Oui... Merci...

L'appareil raccroché, il annonça :

— Dix minutes d'attente.

Dans un tiroir, on venait de trouver des lettres, certaines en anglais, d'autres en français ou en italien, pêle-mêle, lettres de femmes et lettres d'affaires mélangées, invitations à des cocktails ou à des dîners, tandis que dans un autre tiroir se trouvaient des dossiers mieux classés...

— On les emporte?

Maigret fit signe que oui, après avoir consulté le juge Calas du regard. Il était onze heures et l'hôtel commençait à s'éveiller, on entendait des sonneries, des domestiques qui allaient et venaient et, sans cesse le déclic de l'ascenseur.

— Vous croyez, docteur, qu'une femme aurait pu lui maintenir la tête sous l'eau?

— Cela dépend de la femme.

— Ils l'appellent la petite comtesse, ce qui laisse supposer qu'elle est plutôt menue.

— Ce n'est pas la taille ni l'embompoint qui comptent... grommela le docteur Paul, philosophe.

Et Maigret :

— Nous ferions peut-être bien d'aller jeter un coup d'oeil au 332...

— Le 332?

— L'appartement de la comtesse en question.

Ils trouvèrent la porte fermée, durent se mettre à la recherche d'une femme de chambre. On avait déjà fait le ménage de l'appartement, qui se composait aussi d'un salon, plus petit qu'au 347, d'une chambre et d'une salle de bains.

Bien que la fenêtre fût ouverte, il flottait encore une odeur de parfum et d'alcool et, si on avait enlevé la bouteille de champagne, celle de whisky, aux trois quarts pleine, était restée sur un guéridon.

Le procureur et le juge, trop bien élevés ou trop timides, hésitaient sur le seuil, tandis que Maigret ouvrait armoires et tiroirs. Ce qu'il découvrait c'était, en féminin, ce qu'il avait découvert chez David Ward, des objets de grand luxe qu'on ne trouve que dans de rares magasins et qui sont comme le symbole d'un certain niveau de vie.

Sur la coiffeuse, des bijoux traînaient comme des choses sans valeur, bracelet de diamants avec une montre minuscule, boucles d'oreilles et bagues valant en tout une vingtaine de millions.

Ici aussi, des papiers dans un tiroir, invitations, factures de couturiers et de modistes, prospectus, indicateur d'Air-France et de la Pan-American.

Pas de lettres personnelles, à croire que la petite comtesse n'écrivait ni ne recevait de correspondance. Par contre, dans un placard, Maigret compta vingt-huit paires de chaussures, certaines qui n'avaient jamais été portées, et leur taille lui confirma que la comtesse était réellement menue.

Lapointe accourait.

— J'ai eu l'Hôtel de Paris au bout du fil. La téléphoniste prend note des appels, mais pas des communications que les clients reçoivent, sauf quand ils sont absents et qu'elle leur laisse un message. Elle a reçu plus de quinze communications de Paris ce matin et est incapable de dire à qui celle-là était adressée.

Lapointe ajouta, hésitant :

— Elle m'a demandé s'il faisait aussi chaud ici que là-bas. Il paraît...

On ne l'écoutait plus et il se tut. Le petit groupe regagnait l'appartement de David Ward et rencontrait un assez étrange cortège. Le directeur, qu'on avait sans doute alerté, marchait en tête, en éclaireur, épiant avec inquiétude les portes qui pouvaient s'ouvrir à tout moment. Il avait amené un des chasseurs en uniforme bleu ciel comme renfort, afin de rendre la voie libre.

Quatre hommes suivaient, portant la civière sur laquelle le corps de David Ward, toujours nu, était caché par une couverture.

— Par ici... disait M. Gilles d'une voix étouffée.

Il marchait sur la pointe des pieds. Les porteurs avançaient avec précaution, évitant de heurter les murs et les portes.

Ils ne se dirigeaient pas vers un des ascenseurs, mais prenaient un couloir plus étroit que les autres, à la peinture moins brillante et moins fraîche, qui conduisait au monte-charge.

David Ward qui avait été un des clients les plus prestigieux de l'hôtel, le quittait par le chemin des malles et des gros bagages.

Il y eut un silence. Les magistrats, qui n'avaient plus rien à faire, hésitaient à rentrer dans l'appartement.

— Vous vous en occupez, Maigret... soupira le procureur.

Il hésita, dit plus bas :

— Soyez prudent... Essayez d'éviter que les journaux... Enfin, vous me comprenez... Le ministère m'a bien recommandé...

C'était moins compliqué, la veille, à peu près à la même heure, quand le commissaire était allé, rue de Clignancourt, rendre visite à l'encaisseur, père de trois enfants, qui avait reçu deux balles dans le ventre en essayant de défendre sa sacoche qui contenait huit millions.

Il avait refusé d'être transporté à l'hôpital. Il préférait, s'il devait mourir, le faire dans la petite chambre au papier à fleurs roses où sa femme le veillait et où, en revenant de l'école, les enfants marchaient sur la pointe des pieds.

Pour cette affaire-là, on avait une piste, le béret abandonné sur les lieux, qui finirait bien par conduire jusqu'aux coupables.

Mais pour David Ward?

— Je crois, dit soudain Maigret, comme s'il se parlait à lui-même, que je vais aller faire un tour à Orly.

Peut-être à cause des indicateurs d'Air-France et de la Pan-American qui traînaient dans un tiroir, ou à cause du coup de téléphone à Monte-Carlo?

Peut-être, après tout, parce qu'il fallait faire quelque chose, n'importe quoi, et qu'un aéroport lui paraissait dans la ligne d'une personne comme la comtesse.

CHAPITRE

3

Des allées et venues de la petite comtesse et des scrupules de Maigret.

Il NE DEVAIT PAS quitter le George V aussi vite qu'il en avait eu l'intention. Alors qu'il donnait des instructions, par téléphone, à Lucas, avant de se rendre à l'aéroport, le jeune Lapointe, qui était allé rôder dans la chambre de la comtesse Palmieri, en rapporta une boîte en métal colorié. Elle avait contenu primitivement des biscuits anglais, et elle était bourrée de photographies.

Cela rappela à Maigret la boîte dans laquelle, quand il était petit, sa mère mettait les boutons et dans laquelle on pêchait chaque fois qu'il en manquait un à un vêtement. Celle-là était une boîte à thé, ornée de caractères chinois, assez inattendue dans la maison d'un régisseur de château qui ne buvait jamais de thé.

Dans un placard du 332, le commissaire avait aperçu des valises qui sortaient de chez un malletier célèbre de l'avenue Marceau et les moindres objets usuels, un chausse-pied, par exemple, ou un presse-papier, portaient la marque d'une maison de grand luxe.

Or, c'était dans une simple boite à biscuits que la comtesse gardait pêle-mêle les photographies d'elle et de ses amis, des instantanés pris au hasard de ses déplacements, qui la montraient, en maillot, à bord d'un yacht, en Méditerranée probablement, ou faisant du ski nautique, ou encore dans la neige, en haute montagne.

Sur un certain nombre de ces photographies, elle était en compagnie du colonel, parfois seule avec lui, le plus souvent avec d'autres personnes qu'il n'arrivait au commissaire de reconnaître car c'étaient des acteurs, des écrivains, des gens dont on avait l'habitude de voir le portrait dans les journaux.

— Vous emportez la boite, patron?

On aurait dit que Maigret ne quittait qu'à son corps défendant cet étage du George V où il semblait pourtant qu'il n'y eût plus rien à apprendre.

— Appelle l'infirmière. Assure-toi d'abord que c'est la même que la nuit dernière.

C'était la même, pour la bonne raison qu'il n'en avait qu'une attachée à l'hôtel. Son travail consistait surtout, Maigret l'apprit un peu plus tard, à soigner des gueules de bois et à faire des piqûres. Depuis quelques années, un tiers des clients recevaient sur ordre de leur médecin, des piqûres d'une sorte ou d'une autre.

— Dites-moi, mademoiselle...

— Genévrier...

C'était une personne digne et triste, sans âge, aux yeux ternes comme les gens qui ne dorment pas assez.

— Lorsque la comtesse Palmieri a quitté l'hôtel en ambulance, elle était en tenue de nuit, n'est-ce pas?

— Oui. On l'a enveloppée d'une couverture. Je ne voulais pas perdre de temps à l'habiller. Je lui ai mis du linge et des vêtements dans une valise.

— Une robe?

— Un tailleur bleu, le premier qui m'est tombé sous la main. Des souliers et des bas aussi, naturellement.

— Rien d'autre?

— Un sac à main, qui se trouvait dans la chambre. Je me suis assurée qu'il contenait un peigne, un poudrier, du rouge à lèvres, tout ce dont une femme a besoin.

— Vous ne savez pas si ce sac contenait de l'argent?

— J'y ai vu un portefeuille, un carnet de chèques et un passeport...

— Un passeport français?

— Italien.

— La comtesse est d'origine italienne?

— Française. Elle est devenue italienne par son mariage avec le comte Palmieri et je suppose qu'elle a conservé cette nationalité. Je ne sais pas. Je ne m'occupe pas de ces choses-là.

Dans l'ascenseur, il y avait un homme que Lapointe dévorait des yeux et Maigret finit par reconnaître le plus grand comique du cinéma américain. Cela lui fit un drôle d'effet, à lui

aussi, après l'avoir tant vu sur les écrans, de le
retrouver en chair et en os, dans la cage d'un ascenseur, vêtu comme tout le monde, des poches
sous les yeux, l'air lugubre de quelqu'un qui a
trop bu la veille.

Avant de se diriger vers le hall, le commissaire passa par le bar, où John T. Arnold était
accoudé devant un whisky.

— Venez donc un instant dans ce coin...

Il n'y avait encore que quelques clients qui,
la plupart, avaient le même air jaunâtre que
l'acteur américain, sauf deux qui avaient étalé
sur un guéridon des papiers d'affaires et qui discutaient gravement.

Maigret passait les photos, une à une, à son
compagnon.

— Je suppose que vous connaissez ces gens-là?
J'ai remarqué que vous étiez sur quelques instantanés...

Arnold connaissait tout le monde, en effet, et
beaucoup étaient des personnages dont Maigret
connaissait le nom, lui aussi : deux anciens rois,
qui avaient régné dans leur pays et qui vivaient
maintenant sur la Côte d'Azur, une ex-reine qui
habitait Lausanne, quelques princes, un metteur
en scène anglais, le propriétaire d'une grande marque de whisky, une danseuse de ballets, un cham-
pion de tennis...

Arnold était un peu agaçant avec sa façon d'en
parler.

— Vous ne le reconnaissez pas? C'est Paul.

— Paul qui?

— Paul de Yougoslavie. Ici, c'est Nénette..

Nénette n'était pas le petit nom d'une actrice

ou d'une demi-mondaine, mais celui d'une dame
du Faubourg Saint-Germain qui recevait mi-
nistres et ambassadeurs à sa table.

— Et celui-ci, avec la comtesse et le colonel?

— Jef.

— Quel Jef?

— Van Meulen, des produits chimiques.

Encore un nom que Maigret connaissait, bien
entendu, qu'on trouvait sur les boites de peinture et d'un tas d'autres produits.

Il était en short, coiffé d'un immense chapeau
de paille de planteur sud-américain, et il jouait aux
boules sur une place de Saint-Tropez.

— C'est le second mari de la comtesse.

— Encore une question, M. Arnold. Savez-
vous qui se trouve actuellement à Monte-Carlo,
à l'Hôtel de Paris, et à qui la comtesse dans l'am-
barras, aurait pu avoir l'idée de téléphoner?

— Elle a téléphoné à Monte-Carlo?

— Je vous ai posé une question.

— Jef, bien sûr.

— Vous voulez dire son second mari?

— Il vit une bonne partie de l'année sur la
Côte. Il est propriétaire d'une villa, à Mougins,
près de Cannes, mais, la plupart du temps, il
préfère l'Hôtel de Paris.

— Ils sont restés en bons termes?

— Excellents. Elle l'appelle toujours papa.

Le comique américain, après un tour de hall,
venait s'accouder au bar, et, sans s'enquérir
de ce qu'il désirait, on lui préparait d'office un
grand verre de gin mélangé de jus de tomate.

— Van Meulen et le colonel étaient en bon
termes?

— C'étaient des amis de toujours.

— Et le comte Palmieri?

— Il figure sur une des photos que vous venez de me montrer...

Arnold la chercha. Un grand garçon brun, à la chevelure abondante, en slip, à la proue d'un yacht.

— Ami aussi?

— Pourquoi pas?

— Je vous remercie...

Maigret se ravisa au moment de se lever.

— Vous savez qui est le notaire du colonel?

John T. Arnold montra à nouveau quelque impatience, comme si son interlocuteur était par trop ignorant.

— Il en a beaucoup. Pas nécessairement des notaires dans le sens français du mot. A Londres, des sollicitors s'appellent MM. Philps, Philps et Hadley. A New-York, la firme Harrison et Shaw s'occupe de ses intérêts. A Lausanne...

— Chez lequel de ces messieurs croyez-vous qu'il ait déposé son testament?

— Il en a laissé un peu partout. Il en changeait fréquemment.

Maigret avait accepté le whisky qu'on lui offrait mais Lapointe par discrétion, n'avait pris qu'un verre de bière.

— Je vous remercie, M. Arnold.

— N'oubliez surtout pas ce que je vous ai recommandé. Soyez prudent. Vous verrez qu'il y aura des embêtements...

Maigret en doutait si peu qu'il faisait sa tête des mauvais jours. Toutes ces gens-là, avec leurs

habitudes différentes de celles du commun des
mortels, l'irritaient. Il se rendait compte qu'il
était mal préparé à les comprendre et qu'il aurait fallu des mois pour se mettre au courant de
leurs affaires.

— Viens, Lapointe...

Il traversa le hall à pas pressés sans regarder
à droite ni à gauche, par crainte d'être accroché
par M. Gilles qu'il aimait bien mais qui ne manquerait pas, lui aussi, de lui parler de prudence
et de discrétion. Le hall était presque plein, à
présent. On y parlait toutes les langues et on
y fumait des cigarettes et des cigares de tous les
pays.

— Par ici, M. Maigret...

Le voiturier les conduisait vers l'endroit où il
avait parqué la petite auto de la P.J. entre une
Rolls et une Cadillac.

Pourboire? Pas pourboire? Maigret n'en donna
pas.

— A Orly, mon petit...

— Oui, patron...

Le commissaire aurait aimé aller à l'Hôpital
Américain de Neuilly, questionner l'infirmière,
la réceptionniste, la demoiselle du téléphone. Il
y avait des quantités de choses qu'il aurait voulu,
qu'il aurait dû faire. Mais il ne pouvait être
partout à la fois et il avait hâte de retrouver la
petite comtesse, comme l'appelaient ses amis.

Et elle était petite, en effet, menue, jolie, il
le savait par ses photographies. Quel âge pou-
vait-elle avoir? C'était difficile à juger par des
instantanés pris pour la plupart en plein soleil et

où l'on decouvrait davantage son corps, à peu
près nu dans un bikini, que le détail de ses traits.

Elle était brune, avec un petit nez pointu, im-
pertinent, des yeux qui pétillaient, et elle prenait volontiers des poses de gamin.

Il aurait juré, pourtant, qu'elle approchait de
la quarantaine. La fiche de l'hôtel l'aurait ren-
seigné, mais il n'y avait pas pensé tout à l'heure.
Il allait au plus pressé, avec l'impression déplai-
sante qu'il était en train de saboter son enquête.

— Il faudra tout à l'heure, disait-il à Lapointe,
que tu ailles au George V relever sa fiche. Tu
donneras la plus nette des photos à agrandir.

— On la passe dans les journaux?

— Pas encore. Tu iras aussi à l'Hôpital Américain. Tu comprends?

— Oui. Vous partez?

Ce n'était pas sûr, mais il en avait le pres-
sentiment.

— En tout cas, si je pars, téléphone à ma
femme.

Il lui était arrivé quatre ou cinq fois de voyager
en avion, il y avait un certain temps de cela, et
il reconnut à peine Orly où il découvrait de nou-
veaux bâtiments et où régnait plus d'activité que,
par exemple, à la gare du Nord ou à la gare Saint-
Lazare.

La différence, c'est qu'ici, on ne sortait pour
ainsi dire pas du George V, on entendait parler
toutes les langues et on voyait donner des pour-
boires dans toutes les monnaies imaginables. Des
photographes de presse, groupés près d'une grosse
voiture, prenaient des clichés d'une célébrité aux
bras chargés de fleurs et la plupart des valises

étaient de la même marque prestigieuse que les
bagages de la petite comtesse.

— Je vous attends, patron?

— Non. Descends en ville et fais ce que je t'ai
dit. Si je ne pars pas, je rentrerai en taxi.

Il se faufila dans la foule pour éviter les journalistes et, le temps de gagner le hall, où s'alignaient les comptoirs des diverses compagnies de
navigation, deux appareils avaient eu le temps
de se poser tandis que des Hindous, certains en
turban, traversaient le terrain et se dirigeaient
vers la douane.

Le haut-parleur n'arrêtait guère de lancer des
appels.

— On demande M. Stillwell... M. Stillwell...
On demande M. Stillwell au bureau de la Pan
American...

Puis le même avis en anglais, un autre en es-
pagnol, réclamant Mlle Consuélo Gonzalès.

Le bureau du commissaire spécial de l'aéroport
n'était plus à l'endroit où Maigret l'avait connu.
Il finit néanmoins par le découvrir, poussa la porte.

— Tiens ! Colombani...

Colombani, au mariage de qui Maigret avait
assisté, n'appartenait pas à la P.J. et dépendait
directement du ministère de l'Intérieur.

— C'est vous qui m'avez fait passer une note?

Le commissaire Colombani cherchait, dans le
désordre de son bureau, un bout de papier sur
lequel le nom de la comtesse était écrit au crayon.

— Vous ne l'avez pas vue?

— J'ai passé la consigne aux hommes du contrôle... On ne m'a rien signalé jusqu'ici... Je vais
vérifier les listes de passagers...

Il entra dans un autre bureau vitré, en revint avec une liasse de feuillets.

— Un instant... Vol 315, pour Londres... Paverini... Paverini... P... Non... Pas de Paverini parmi les voyageurs... Vous ne savez pas où elle est allée?... L'avion suivant : Stuttgart... Pas de Paverini non plus... Le Caire, Beyrouth... P... Potteret... Non !... New York, via Pan American... Pittsberg... Piroulet... Toujours pas de Paverini...

— Il n'y a pas eu l'avion pour la Côte d'Azur?

— L'avion de Rome, avec escale à Nice, oui, à dix heures trente-deux.

— Vous avez la liste des passagers?

— J'ai la liste des passagers pour Rome, parce que mes hommes ont visé leur passeport... Ils ne s'occupent pas des voyageurs pour Nice, qui ne passent pas par la même porte et qui n'ont pas à accomplir les formalités de douane et de police...

— C'est un avion français?

— Anglais... Voyez la B.O.A.C... Je vous y conduis...

Les stands, dans le hall, s'alignaient comme des baraques de foire, surmontés de panneaux aux couleurs des différents pays, avec, presque toujours, des initiales mystérieuses.

— Vous avez la liste des passagers du vol 312?

La jeune fille, une Anglaise à taches de rousseur, chercha dans ses dossiers, tendit une feuille.

— P... P... Paarson... Paverini... Louise, comtesse Paverini... C'est cela, Maigret?

Celui-ci s'adressa à la jeune fille.

— Pouvez-vous me dire si cette personne avait retenu sa place?

— Un instant... C'est mon collègue qui était ici pour cet avion-là...

Elle sortit de son box, s'enfonça dans la foule, finit par revenir avec un grand garçon blond qui parlait le français avec un fort accent.

— C'est vous qui avez établi le billet de la comtesse Palmieri?

Il dit oui. Son voisin de l'Italian Air-Line la lui avait amenée. Elle devait absolument se rendre à Nice et avait raté l'avion d'Air-France du matin.

— C'est compliqué, vous savez. Il y a des avions qui ne font telle ligne qu'une fois, ou deux fois la semaine. Les escales ne sont pas les mêmes tous les jours non plus, sur certains parcours. Je lui ai dit que si, à la dernière minute, nous avions une place...

— Elle est partie?

— Oui. A dix heures vingt-huit.

— De sorte qu'elle est arrivée à Nice?

L'employé regarda une horloge au-dessus du stand d'en face.

— Il y a une demi-heure.

— Comment a-t-elle payé son billet?

— Par chèque. Elle m'a expliqué qu'elle était partie précipitamment et n'avait pas d'argent sur elle.

— Vous avez l'habitude d'accepter les chèques?

— Quand il s'agit de gens connus.

— Vous avez encore le sien?

Il ouvrit un tiroir, tripota quelques papiers, sortit une feuille à laquelle un chèque bleuâtre était épinglé. Le chèque n'était pas tiré sur une banque française, mais sur une banque suisse qui avait un bureau avenue de l'Opéra. L'écriture était nerveuse, irrégulière, comme celle d'une personne en proie à l'impatience ou à la fièvre.

— Je vous remercie.

Et, à Colombani :

— Je peux appeler Nice de votre bureau?

— Vous pouvez même donner un message par le téléscripteur et il sera reçu instantanément.

— Je préférerais parler.

— Venez... Une affaire importante?

— Très !

— Embêtante?

— Je le crains.

— C'est à la police de l'aéroport que vous désirez parler?

Maigret fit signe que oui.

— Cela prendra quelques minutes. Nous avons le temps de boire un coup... Par ici... Vous nous préviendrez quand nous aurons Nice, Dutilleul!

Au bar, ils se coincèrent entre une famille brésilienne et des pilotes en uniforme gris qui parlaient le français avec l'accent belge ou suisse.

— Qu'est-ce que vous prenez?

— Je viens de boire un whisky. Il vaut mieux que je continue.

Colombani expliquait :

— Le message que nous avons reçu de la P.J. ne parlait pas des voyageurs pour un aéroport français... Comme nous ne nous occupons, en principe, que de ceux qui doivent faire viser leur passeport...

Maigret vida son verre d'un trait, car on l'appelait déjà au téléphone.

— Allo! La police de l'aéroport?... Ici, Maigret, de la P.J... Oui... Vous m'entendez?.. Allo!... Je parle aussi nettement que je peux... Une jeune femme... Allo... La comtesse Palmieri... Comme palmier... palmier... Les arbres de la Promenade des Anglais... Avec un i à la fin... Oui... Elle a dû descendre, il y a un peu plus d'une demi-heure, de l'avion de la B.O.A.C... Oui, l'avion venant de Londres via Paris... Comment?... Je n'entends rien...

Colombani alla gentiment fermer la porte, car le vacarme de l'aéroport, y compris celui d'un avion qui s'approchait des vastes portes-fenêtres, pénétrait dans le bureau.

— L'appareil vient seulement d'atterrir?... Retard, oui... Tant mieux... Les passagers sont encore à l'aéroport?... Allo!... Courez vite... Palmieri... Non... Vous la retenez sous un prétexte quelconque... Vérification de papiers, par exemple... Faites vite...

Colombani disait, en habitué :

— Je me doutais qu'il y aurait du retard. On signale des orages sur toute la ligne. L'avion de Casablanca est arrivé une heure et demie en retard et celui de...

— Allo!... Oui... Comment?... Vous l'avez vue?... Alors?... Partie?...

A l'autre bout du fil, aussi, on entendait des bruits de moteur.

— C'est l'avion qui s'en va?... Elle est à bord?... Non?...

Il finit par comprendre que le policier de Nice

l'avait ratée de justesse. Les passagers en provenance de Londres étaient encore là, car ils devaient passer par la douane, mais la comtesse,
embarquée à Paris, était sortie la première et était
montée tout de suite dans une voiture qui l'attendait.

— Une voiture avec une plaque d'immatricu-
lation belge, dites-vous?... Oui, j'entends : une
grosse voiture... un chauffeur... Non... Rien...
Merci...

De l'Hôpital Américain, elle avait téléphoné à
Monte-Carlo, où son second mari, Joseph Van
Meulen, se trouvait probablement à l'Hôtel de
Paris. Puis elle s'était fait conduire à Orly et avait
pris le premier avion pour la Côte. A Nice, une
grosse auto belge l'attendait.

— Ça va comme vous voulez? questionnait
Colombani.

— A quelle heure y a-t-il un avion pour Nice?

— A une heure dix-neuf... En principe, ils
sont complets, bien qu'on ne soit pas en saison.
A la dernière minute, cependant, il y a toujours
un ou deux passagers qui ne se présentent pas...
Vous désirez que je vous fasse inscrire?...

Sans lui, Maigret aurait perdu du temps.

— Voilà! Vous n'avez plus qu'à attendre. On
ira vous chercher le moment venu. Vous serez
au restaurant?

Maigret déjeuna, seul dans un coin, après avoir
téléphoné à Lucas qui ne lui apprit rien de nouveau.

— Les journalistes ne sont pas encore alertés?

— Je ne crois pas. J'en ai vu un rôder, tout
à l'heure, dans les couloirs, mais c'était Michaux.

qui traîne toujours dans la maison, et il ne m'a
parlé de rien...

— Que Lapointe fasse ce que je lui ai dit...
Je rappellerai de Nice dans le courant de l'après-
midi...

On vint le chercher, comme promis, et il suivit
la file de passagers vers l'appareil où il s'installa
au dernier rang. Il avait laissé la boîte de photographies à Lapointe, mais il en avait gardé quelques-unes qui lui paraissaient les plus intéres-
santes et, au lieu de lire le journal que l'hôtesse
de l'air lui offrait en même temps que du chewing-gum, il se mit à les regarder rêveusement.

Il dut attendre, pour fumer sa pipe et desserrer
sa ceinture, qu'un avis lumineux, devant lui,
s'éteigne, puis, presque tout de suite, on servit
du thé et des gâteaux dont il n'avait pas envie.

Les yeux mi-clos, la tête renversée sur le dos-
sier de son fauteuil, il n'avait l'air de penser à
rien, tandis que l'appareil volait au-dessus d'un
épais tapis de nuages lumineux. En réalité, il
s'efforçait de faire vivre des noms, des silhouettes qui, le matin encore, lui étaient aussi étran-
gers que des habitants d'une autre planète.

Combien de temps s'écoulerait-il avant que la
mort du colonel soit connue et que la presse s'em-
pare de l'histoire? A ce moment-là, les complications commenceraient, comme chaque fois qu'il
s'agit d'une personnalité en vue. Est-ce que les
quotidiens de Londres n'enverraient pas des reporters à Paris? A en croire John T. Arnold, David Ward avait des intérêts un peu partout dans
le monde.

Drôle de type! Maigret ne l'avait vu que dans

une position pitoyable et grotesque, nu dans sa
baignoire, avec un gros ventre blême qui émer-
geait et qui semblait flotter.

Lapointe avait-il senti qu'à certain moment le
commissaire était impressionné, pas tout à fait à
la hauteur de sa tâche, et sa confiance dans le
patron en avait-elle été ébranlée?

Ces gens-là l'agaçaient, c'était un fait. Il était
en face d'eux dans la position du nouveau venu
dans un club, par exemple, ou dans une classe
d'école, celui qui se sait gauche et qui a honte
parce qu'il ne connaît pas encore les règles, les
usages, les mots-clefs et qui se figure que les autres se moquent de lui.

Il était persuadé que John T. Arnold, si désin-
volte, à son aise devant des rois en exil ou des
banquiers, à Londres, à Rome, à Berlin ou à New-
York, s'était amusé de sa gaucherie et l'avait
traité avec une condescendance un rien apitoyée.

Maigret savait comme tout le monde, mieux
que la plupart des gens, de par son métier, comment se brassent certaines affaires, comment on
vit dans certains milieux.

Mais c'était là une connaissance théorique. Il
ne le « sentait » pas. De menus détails le dérou-
taient.

C'était la première fois qu'il avait l'occasion
de s'occuper d'un monde à part, dont on n'a des
échos que par les indiscrétions des journaux.

Il existe des milliardaires, pour employer le
terme consacré, qu'on situe sans peine et dont
on devine plus ou moins l'existence, brasseurs
d'affaires ou banquiers qui se rendent chaque
jour à leur bureau et qui, dans le privé, n'ont

pas une tête si différente du commun des mortels.

Il avait connu d'importants industriels du Nord et de l'Est, lainiers, maîtres de forge, qui étaient tous les matins à huit heures à leur travail, tous les soirs au lit à dix heures, et dont la famille ressemblait à celle de leurs chefs de service ou de leurs contremaîtres.

Il croyait comprendre, à présent, que ceux-là n'étaient pas tout au sommet de l'échelle, que c'étaient en somme les gagne-petits des grandes fortunes.

Au-dessus d'eux évoluaient des hommes comme le colonel Ward, peut-être comme Joseph Van Meulen, qui ne mettaient pratiquement plus les pieds dans un bureau, allant de palace en palace, entourés de jolies femmes, faisant des croisières à bord de leur yacht, entretenant entre eux des relations compliquées et traitant, dans un hall d'hôtel ou dans un cabaret, des affaires plus considérables que celles des financiers bourgeois.

David Ward avait eu trois femmes légitimes, dont Maigret avait noté les noms dans son carnet noir. Dorothy Payne, la première, était la seule à appartenir plus ou moins à son milieu et à être originaire, comme lui, de Manchester. Ils n'avaient pas eu d'enfants et avaient divorcé après trois ans. Elle était remariée.

Si sa famille était du clan bourgeois, ce n'était pas dans ce monde qu'elle était rentrée après son divorce et elle n'était pas retournée à Manchester. Elle avait épousé un autre Ward, en quelque sorte, un nommé Aldo de Rocca, magnat des soies artificielles en Italie, qui avait la passion des au-

tos et qui courait chaque année les 24 Heures
du Mans.

Celui-là aussi devait descendre au George V
ou au Ritz, au Savoy à Londres, au Carlton,
à Cannes, à l'Hôtel de Paris, à Monte-Carlo.

Comment ces gens-là ne se seraient-ils pas ren-
contrés sans cesse? Il existe de par le monde vingt
ou trente hôtels de grand luxe, une dizaine de
plages à la mode, un nombre limité de galas, de
« Grand Prix » ou de « Derby ». Les fournisseurs
sont les mêmes pour tous, bijoutiers, couturiers,
tailleurs. Mêmes coiffeurs aussi, et mêmes manu-
cures.

La deuxième femme du colonel, Alice Perrin,
dont le fils était à Cambridge, sortait d'un milieu
différent, puisqu'elle était la fille d'une institu-
trice de village, dans la Nièvre, et qu'elle travaillait comme mannequin à Paris quand Ward
l'avait rencontrée.

Mais les mannequins, justement, ne vivent-ils
pas un peu comme en bordure du même monde?

Divorcée, elle n'avait pas repris son métier et
le colonel lui avait laissé des rentes.

Quelles gens fréquentait-elle à présent?

On aurait pu se demander la même chose de
la troisième — Muriel Halligan, fille d'un con-
tremaître de Hoboken, près de New York, qui
vendait des cigarettes dans une boîte de nuit de
Broadway lorsque David Ward en était tombé
amoureux.

Elle vivait à Lausanne, avec sa fille, débarras-
sée, elle aussi des soucis d'argent.

Au fait, John T. Arnold était-il marié? Maigret aurait parié que non. Il semblait né pour

être le factotum, l'éminence grise et le confident
d'un homme comme Ward. Il devait appartenir
à une bonne famille anglaise, peut-être à une
très vieille famille ayant eu des revers de fortune. Il avait étudié à Eton ou à Cambridge, pra-
tiqué le golf, le tennis, la voile, l'aviron. Sans
doute, avant de rencontrer Ward, était-il entré
dans l'armée, ou dans les ambassades?

Toujours est-il qu'il menait, dans l'ombre du
colonel, l'existence pour laquelle il était fait. Qui
sait? Ne profitait-il pas discrètement des aventures
amoureuses de son patron comme il profitait de
son luxe?

— Mesdames, messieurs, nous vous prions
d'attacher vos ceintures et de ne plus fumer. Dans
quelques instants, nous atterrirons à Nice. Nous
espérons que vous avez fait un bon voyage. *La-
dies and gentlemen...*

Maigret eut de la peine à vider sa pipe dans le
minuscule cendrier encastré dans le bras de son
fauteuil et ses gros doigts s'acharnèrent sur la
boucle de sa ceinture. Il n'avait pas remarqué
que, depuis quelques instants, on survolait la mer,
qui se rapprocha soudain du hublot, presque ver-
ticale, car l'avion avait amorcé un virage, et il
y avait des bateaux de pêche qui ressemblaient
à des jouets, un voilier à deux mâts qui laissait
derrière lui un sillage argenté.

— Veuillez ne pas quitter vos sièges avant
l'arrêt complet de l'appareil...

L'avion touchait le sol, rebondissait un peu et
les moteurs devenaient plus bruyants tandis qu'il
se dirigeait vers le bâtiment blanc de l'aéroport
et que les oreilles de Maigret bourdonnaient

Le commissaire fut un des derniers à descendre, parce qu'il était tout au fond et qu'une grosse dame, devant lui, avait oublié une boîte de chocolats sur son siège et s'efforçait de remonter le courant.

Au bas de l'escalier, un jeune homme sans veston, la chemise éclatante dans le soleil, s'adressa à lui en touchant son chapeau de paille.

— Le commissaire Maigret?

— Oui.

— Inspecteur Benoît... Ce n'est pas moi qui ai reçu votre message ce midi, mais mon collègue dont j'ai pris la relève. Le commissaire de l'aéroport s'excuse de ne pas être ici pour vous accueillir. Il a été appelé à Nice pour une affaire urgente.

Ils suivaient, d'assez loin, les voyageurs qui se précipitaient vers les bâtiments ; le ciment de la piste était chaud et on voyait, dans le soleil, une foule qui, derrière une barrière, agitait des mouchoirs.

— Nous avons été assez embarrassés, tout à l'heure, et, après avoir demandé conseil au commissaire, je me suis permis de téléphoner quai des Orfèvres. J'ai eu un certain Lucas à l'appareil et il m'a dit qu'il était au courant. La dame qui vous intéresse...

Il regarda un bout de papier qu'il tenait à la main.

— ... La comtesse Palmieri est revenue juste à temps pour l'avion de la Swissair. Faute d'instructions, je n'ai pas osé la retenir de mon propre chef. Le commissaire ne savait pas non plus que faire. J'ai donc appelé la P.J. en priorité et l'inspecteur Lucas...

— Brigadier...

— Le brigadier Lucas, pardon, a eu l'air aussi ennuyé que moi. La dame n'était pas seule. Il y avait avec elle un monsieur à l'air important qui l'avait amenée dans sa voiture et qui avait téléphoné une demi-heure plus tôt pour lui retenir une place dans l'avion de Genève.

— Van Meulen?

— Je ne sais pas. On pourra vous le dire au bureau.

— Bref, vous l'avez laissée partir?

— J'ai mal fait?

Maigret ne répondit pas tout de suite.

— Non. Je ne crois pas... soupira-t-il enfin. A quelle heure y a-t-il un autre avion pour Genève?

— Il n'y en a pas avant demain matin. Si vous devez absolument vous y rendre, il existe cependant un moyen. Avant-hier encore, quelqu'un s'est trouvé dans le même cas. En prenant l'avion de vingt heures quarante pour Rome, vous arrivez à temps pour l'avion Rome-Genève-Paris-Londres et...

Maigret faillit éclater de rire, car il avait soudain l'impression de retarder sur son époque. Pour aller de Nice à Genève, il suffisait de se rendre à Rome, et, de là...

Au bar, il vit, comme à Orly, des pilotes et des hôtesses de l'air, des Américains, des Italiens, des Espagnols. Un enfant de quatre ans, qui voyageait seul depuis New York, et qui passait

des mains d'une hôtesse à celles d'une autre,
mangeait gravement de la crème glacée.

— Je voudrais donner un coup de téléphone.

L'inspecteur lui fit les honneurs de l'étroit bureau de la police, où on savait déjà qui il était
et où on l'observait curieusement.

— Quel numéro, monsieur le Commissaire?

— L'Hôtel de Paris, à Monte-Carlo.

Quelques instants plus tard, il savait, par le
concierge de l'Hôtel de Paris, que M. Joseph Van
Meulen occupait bien un appartement à l'hôtel,
qu'il avait été appelé à Nice par un coup de téléphone, qu'il s'y était rendu avec sa voiture et
son chauffeur, qu'il avait été assez longtemps
absent et qu'il venait seulement de rentrer.

Il était occupé à prendre un bain et il avait
une table pour le dîner de gala du soir même au
Sporting.

On n'avait pas vu la comtesse Palmieri, qui
était fort connue à l'hôtel. Quant à Mlle Nadine,
elle n'avait pas accompagné Van Meulen lorsqu'il
était parti en voiture.

Qui était Nadine? Maigret n'en savait rien. Le
concierge, lui, semblait persuadé que le monde
entier était au courant et Maigret évita de poser
des questions.

— Vous prenez l'avion de Rome? demanda le
jeune inspecteur niçois.

— Non. Je vais retenir une place à la Swissair
pour demain matin et je passerai sans doute la
nuit à Monte-Carlo.

— Je vous conduis à la Swissair...

Un comptoir, dans le hall, à côté d'autres
comptoirs.

— Vous connaissez la comtesse Palmieri?

— C'est une de nos bonnes clientes. Elle a encore pris l'avion de Genève tout à l'heure...

— Vous savez où elle descend, à Genève?

— D'habitude, elle ne réside pas à Genève, mais à Lausanne. Nous lui avons souvent envoyé des billets au Lausanne-Palace...

Il semblait soudain à Maigret que Paris était si grand et le monde si petit! Il mit presque autant de temps à se rendre, en autocar, à Monte-Carlo, qu'il lui en avait fallu pour venir d'Orly.

CHAPITRE

4

Où Maigret rencontre un autre milliardaire,
aussi nu que le colonel, mais bien vivant.

Ici NON PLUS ON
n'avait pas envie de faire de la publicité à la présence de la police. En entrant dans le hall, Maigret reconnut le concierge, à qui il avait téléphoné de l'aéroport et avec qui, il s'en rendait
compte en le voyant, il avait été plusieurs fois
en rapport quand l'homme travaillait dans un palace des Champs-Elysées. A cette époque, il ne
trônait pas encore derrière le comptoir aux clefs
et ne portait pas la longue redingote mais, simple chasseur, il attendait de se précipiter à l'appel des clients.

Dans le hall, il y avait encore des gens en tenue de plage en même temps que des hommes
déjà en smoking et, devant Maigret, une grosse
femme presque nue, le dos écarlate, un petit

chien sous le bras, répandait une forte odeur
d'huile pour bains de soleil.

Au lieu d'appeler Maigret par son nom — à
plus forte raison ne l'appelait-il pas commissaire !
— le concierge lui adressait un clin d'oeil complice et disait :

— Un instant... Je m'en suis occupé...

Puis il décrochait le téléphone.

— Allo... M. Jean?...

Les appareils, ici, devaient être particulièrement sensibles, car le concierge parlait à voix
presque basse.

— La personne dont je vous ai parlé est arrivée... Je la fais monter?... Entendu...

A Maigret :

— Le secrétaire de M. Van Meulen vous attend à la porte de l'ascenseur, au cinquième
étage, et il vous conduira....

C'était un peu comme une faveur qu'on lui
faisait. Un jeune homme tiré à quatre épingles
l'attendait en effet dans le couloir.

— M. Joseph Van Meulen me prie de l'excu-
ser s'il vous reçoit pendant son massage, mais il
doit sortir presque tout de suite après. Il m'a
chargé de vous dire qu'il est enchanté de vous
rencontrer en chair et en os, car il a suivi pas-
sionnément certaines de vos enquêtes...

C'était un peu curieux, non? Pourquoi le financier belge ne le lui disait-il pas lui-même,
puisqu'aussi bien ils allaient se trouver face à
face?

On conduisait Maigret dans un appartement qui
ressemblait tellement à celui du George V,
même ameublement, disposition des pièces iden-

tique, que le commissaire aurait pu se croire encore à Paris s'il n'avait vu le port et les yachts par les fenêtres.

— Le commissaire Maigret... annonça M. Jean en ouvrant la porte d'une chambre.

— Entrez, commissaire, et asseyez-vous confortablement, lui disait un homme couché sur le ventre, nu comme un ver, qu'un masseur, en pantalon blanc et en gilet de corps qui découvrait ses énormes biceps, pétrissait. Je m'attendais à une visite de ce genre, mais je pensais qu'on se contenterait de m'envoyer un inspecteur d'ici. Que vous vous soyez dérangé en personne...

Il n'acheva pas sa pensée. C'était le deuxième milliardaire que Maigret rencontrait le même jour et celui-ci était nu comme le premier, ce qui ne paraissait nullement le gêner.

Sur les photographies trouvées dans la boîte à biscuits, beaucoup de gens étaient à peine vêtus, comme si, à partir d'un certain échelon social, la notion de pudeur devenait différente.

L'homme devait être très grand, à peine empâté, entièrement bruni par le soleil, sauf une étroite bande de peau que le slip avait empêché d'absorber le soleil et qui était d'un blanc gênant. Le commissaire ne voyait pas le visage, enfoncé dans l'oreiller, mais le crâne, bronzé aussi, était chauve et lisse.

Sans s'occuper de la présence du masseur qui, à ses yeux, ne devait avoir aucune importance, le Belge continuait :

— Je savais, bien entendu, que vous retrouveriez la trace de Louise, et c'est moi, ce matin, au téléphone, qui lui ai conseillé de ne pas essayer de se cacher. Remarquez que j'ignorais encore ce qui s'était passé. Elle n'osait pas me donner les détails par téléphone. En outre, elle était dans un tel état... Vous la connaissez?

— Non.

— C'est une drôle de créature, une des femmes les plus curieuses et les plus attachantes qui soient... C'est fini, Bob?

— Encore deux minutes, monsieur...

Le masseur devait avoir été boxeur, car il avait le nez cassé, les oreilles écrasées. Ses avant-bras et le dos de ses mains étaient couverts de poils très noirs sur lesquels perlait la sueur.

— Je suppose que vous restez en contact avec Paris? Quelles sont les dernières nouvelles?

L'homme parlait naturellement, l'air détendu.

— L'enquête ne fait que commencer, répondit Maigret, prudent.

— Il ne s'agit pas de l'enquête. Les journaux? Ont-ils publié la nouvelle?

— Pas à ma connaissance.

— Cela m'étonnerait qu'un des Philps au moins, le plus jeune, sans doute, n'ait pas déjà pris l'avion pour Paris.

— Par qui auraient-ils été avertis?

— Par Arnold, parbleu. Et, dès que les femmes seront au courant...

— Vous faites allusion aux anciennes épouses du colonel?

— Ce sont les premières intéressées, non? J'ignore où est Dorothy, mais Alice doit se trouver à Paris et Muriel, qui vit à Lausanne, sautera dans le premier avion... Cela suffit, Bob..

Merci... Demain à la même heure... Non! J'ai un rendez-vous... Mettons quatre heures?...

Le masseur lui avait placé une serviette éponge jaune sur le milieu du corps et Van Meulen se levait lentement, se faisant un pagne de la serviette. Debout, très grand en effet, puissant, musclé, en parfaite condition physique pour un homme de soixante-cinq, peut-être de soixante-dix ans, il examinait le commissaire avec une curiosité qu'il ne cherchait pas à cacher.

— Cela me fait plaisir... dit-il sans s'expliquer davantage. Cela ne vous ennuie pas que je m'habille devant vous? J'y suis obligé, car j'ai une table de vingt personnes au gala de ce soir. Le temps de passer sous la douche...

Il entra dans la salle de bain où on entendit l'eau couler. Le masseur rangeait ses affaires dans une mallette, endossait un veston de couleur et s'en allait après avoir lancé un coup d'oeil curieux, lui aussi, à Maigret.

Van Meulen revenait déjà, enveloppé d'un peignoir, des gouttes d'eau sur le crâne et le visage. Son smoking, sa chemise de soie blanche, chaussettes, chaussures, tout ce qu'il allait porter était isolé sur un ingénieux porte-manteau que Maigret voyait pour la première fois.

— David était un bon ami, un vieux complice, pourrais-je dire, car nous nous connaissions depuis plus de trente ans... attendez... trente-huit ans exactement, et nous avons été de moitié dans un certain nombre d'affaires... J'ai été très frappé par la nouvelle de sa mort, surtout d'une mort comme celle-là...

Ce qui surprenait, c'était son naturel, un na-

turel si total que Maigret ne se rappelait pas en
avoir rencontré de pareil dans sa vie. Il allait
et venait, vaquait à sa toilette, et on aurait pu
croire qu'il était seul et se parlait à lui-même.

C'était cet homme-là que la petite comtesse appelait « papa » et le commissaire commençait à
comprendre pourquoi. On le sentait solide. On
pouvait s'appuyer sur lui. Le jeune secrétaire se
tenait dans la pièce voisine, où il téléphonait. Un
garçon que personne n'avait sonné apporta un
verre embué qui contenait un liquide clair, un
martini, vraisemblablement, sur un plateau d'argent. Cela devait être l'heure et faire partie d'une
série d'habitudes.

— Merci, Ludo. Puis-je vous offrir quelque
chose, Maigret ?

Il ne disait pas commissaire, ni monsieur, et
cela n'avait rien de choquant. C'était même, aurait-on dit, une façon de les mettre tous les deux
sur un même pied.

— Je prendrai la même chose que vous.

— Très sec ?

Maigret fit oui de la tête. Son interlocuteur
avait déjà passé son caleçon, son gilet de corps
et ses chaussettes de soie noire. Il cherchait autour de lui le chausse-pied pour mettre ses chaussures vernies.

— Vous ne l'avez jamais rencontrée ?

— Vous parlez de la comtesse Paverini ?

— Louise, oui... Si vous ne la connaissez pas
encore, vous aurez du mal à comprendre... Vous
avez l'expérience des hommes, je le sais, mais je
me demande si vous pouvez comprendre aussi

bien les femmes... Vous avez l'intention d'aller la voir à Lausanne?

Il ne finassait pas, n'essayait pas de faire croire que la comtesse était ailleurs.

— Elle aura eu le temps de se calmer quelque peu... Ce matin, quand elle m'a téléphoné de la clinique, elle m'a parlé d'une façon si incohérente que je lui ai conseillé de sauter dans le premier avion pour venir me voir...

— Elle a été votre femme, n'est-ce pas?

— Pendant deux ans et demi. Nous sommes restés bons amis. Pour quelle raison nous serions-nous brouillés? C'est un miracle que cette infirmière du George V ait eu l'idée de mettre quelques vêtements et le sac à main de Louise dans l'ambulance, car, autrement, elle n'aurait pas pu quitter la clinique... Il n'y avait pas d'argent dans le sac, rien que de la menue monnaie... Elle a été obligée, à Orly de payer son taxi avec un chèque, ce qui n'a pas été tout seul... Bref, je l'ai fait chercher à l'aéroport et nous avons mangé un morceau à Nice, où elle m'a raconté l'histoire...

Maigret évitait de poser des questions, préférant laisser son interlocuteur parler à sa guise.

— Je suppose que vous ne la soupçonnez pas d'avoir tué David?

Comme il ne recevait pas de réponse, Van Meulen se rembrunit.

— Ce serait une grosse faute, Maigret, je vous le dis en ami. Et, d'abord, permettez-moi une question. Est-on sûr que quelqu'un ait maintenu la tête de David dans la baignoire?...

— Qui vous a mis au courant?

— Louise, évidemment.

— Elle l'a donc vu?

— Elle l'a vu et ne songe pas à le nier... Vous l'ignoriez?... Jean, voulez-vous me donner mes boutons de manchettes et mes boutons de plastron?...

Il était soucieux, tout à coup.

— Ecoutez, Maigret, il vaut mieux que je vous mette au courant, sinon vous risquez de faire fausse route et je voudrais éviter qu'on ennuie Louise plus qu'il n'est nécessaire. C'est encore une petite fille. Elle a beau avoir trente-neuf ans, elle reste et restera toute sa vie une enfant. C'est d'ailleurs ce qui fait son charme. C'est aussi ce qui l'a fait se fourrer continuellement dans des situations impossibles.

Le secrétaire l'aidait à mettre ses boutons de manchette en platine et Van Meulen s'asseyait, face au commissaire, comme s'il s'accordait un moment de repos.

— Le père de Louise était général et sa mère appartenait à la petite noblesse de province. Elle est née au Maroc, je crois, où son père était en garnison, mais elle a passé une grande partie de sa jeunesse à Nancy. Elle voulait déjà vivre sa vie et elle a fini par obtenir de ses parents qu'ils l'envoient à Paris pour suivre des cours d'histoire de l'art. A votre santé..

Maigret but une gorgée de martini, chercha un guéridon des yeux pour y poser son verre.

— Mettez-le par terre, n'importe où... Elle a rencontré un Italien, le comte Marco Palmieri, et cela a été le coup de foudre. Vous connaissez Palmieri?

— Non...

— Vous le connaîtrez.

Il paraissait en être sûr.

— C'est un vrai comte, mais sans fortune. Pour autant que je sache, il vivait à ce moment-là des bontés d'une dame d'un certain âge. Les parents, à Nancy, se sont fait tirer l'oreille. Louise leur a si bien doré la pilule qu'ils ont fini par donner leur consentement au mariage. Appelons ça la première époque, à laquelle on a commencé à parler de la « petite comtesse ». Ils ont eu un appartement à Passy, puis une chambre à l'hôtel, un appartement à nouveau, des hauts, des bas, mais ils n'ont jamais cessé de se montrer dans les cocktails, les réceptions et les endroits où l'on s'amuse.

— Paverini se servait de sa femme?

Honnêtement, Van Meulen hésita.

— Non. Pas de la façon que vous pensez. Elle ne s'y serait d'ailleurs pas prêtée. Elle était amoureuse folle et l'est encore. Cela devient plus difficile à comprendre, n'est-ce pas? Pourtant, c'est la vérité. Je suis même persuadé que Marco est amoureux d'elle, lui aussi, qu'en tout cas il ne peut pas s'en passer.

» Ils ne s'en disputaient pas moins. Elle l'a quitté trois ou quatre fois à la suite de scènes violentes, jamais plus de quelques jours. Il suffisait à Marco de se montrer, pâle et défait, et de lui demander pardon, pour qu'elle tombe à nouveau dans ses bras.

— De quoi vivaient-ils?

Van Meulen haussa imperceptiblement les épaules.

— C'est vous qui me posez cette question-là?
De quoi vivent tant de gens à qui nous serrons
la main tous les jours? C'est à l'époque d'une de
ces brouilles que je l'ai rencontrée. Elle m'a ému.
J'ai pensé que ce n'était pas une existence pour
elle, qu'elle s'épuisait, se fanerait vite entre les
mains d'un homme comme Marco et, comme je
venais de divorcer, je lui ai proposé de devenir
ma femme.

— Vous étiez amoureux?

Van Meulen le regarda sans mot dire et ses
yeux avaient l'air de répéter la question.

— Le même cas, murmura-t-il enfin, s'est présenté plusieurs fois dans ma vie, comme il s'est
présenté à David. Est-ce que cela répond à
votre question? Je ne vous cache pas que j'ai eu
une conversation avec Marco, ni que je lui ai
remis un chèque important pour qu'il aille se pro-
mener en Amérique du Sud.

— Il a accepté?

— J'avais des moyens de convaincre.

— Je suppose qu'il avait commis certaines..
indélicatesses?

Haussement d'épaules à peine perceptible.

— Louise a été ma femme pendant près de
trois ans et j'ai été assez heureux avec elle...

— Vous saviez qu'elle aimait toujours Marco?

Van Meulen avait l'air de dire :

— Et après?

Il poursuivait :

— Elle m'a accompagné un peu partout. Je
voyage beaucoup. Elle a rencontré mes amis, dont
elle connaissait déjà quelques uns. Il y a eu des
nuages, bien entendu, et même quelques gros

orages... Je crois qu'elle avait et qu'elle a gardé une sincère affection pour moi... Elle m'appelait papa, ce qui ne me choque pas, puisqu'aussi bien j'ai trente ans de plus qu'elle...

— C'est par vous qu'elle a connu David Ward?

— C'est par moi, comme vous dites.

Une petite flamme ironique avait fait pétiller ses yeux.

— Ce n'est pas David qui me l'a prise, mais Marco, qui est revenu un beau jour, amaigri, misérable, et qui s'est mis à passer ses journées sur le trottoir d'en face avec l'air d'un chien perdu... Un soir, elle s'est jetée dans mes bras en sanglotant et m'a avoué...

Le téléphone avait sonné dans la chambre voisine et le secrétaire, qui avait répondu, se montrait sur le seuil.

— M. Philps à l'appareil.

— Donald ou Herbert?

— Donald...

— Qu'est-ce que je vous avais dit? C'est le plus jeune. Il appelle de Paris?

— Oui.

— Passe-le moi ici...

Il tendit le bras vers l'appareil et la conversation eut lieu en anglais. Aux questions qu'on lui posait à l'autre bout du fil, Van Meulen répondait à peu près...

— Oui... Non... Je ne sais pas encore... Il paraît qu'il n'y a aucun doute là-dessus... Le commissaire Maigret, qui s'en occupe, est en face de moi... j'irai certainement à Paris pour l'enterrement, encore que cela tombe aussi mal que possible, car je devais partir après-demain pour Ceylan... Allo!... Vous êtes au George V?... Si j'apprends quelque chose, je vous appellerai... Non, ce soir je serai absent et ne rentrerai pas avant trois heures du matin... Bonsoir...

Il regarda Maigret.

— Ça y est. Philps est sur place, comme je vous en avais prévenu. Il est très excité. Les journaux anglais sont déjà au courant et il est assailli par les reporters... Où en étais-je? Il va quand même falloir que je finisse de m'habiller... Mes cravates, Jean...

On lui en apporta six au choix, qui paraissaient identiques, et qu'il examina pourtant avec soin avant d'en prendre une.

— Que vouliez-vous que je fasse? Je lui ai offert le divorce et, afin que Marco ne puisse la laisser un jour sans le sou, je lui ai reconnu, non une certaine somme, mais une rente assez modeste.

— Vous avez continué à la fréquenter?

— A les fréquenter tous les deux... Cela vous surprend?

Il faisait son noeud papillon devant le miroir, le cou tendu, la pomme d'Adam saillante.

— Comme il fallait s'y attendre, les scènes ont recommencé. Puis, un beau jour, David a divorcé d'avec Muriel et son tour est venu de jouer les bons Samaritains...

— Il ne l'a cependant pas épousée?

— Il n'en a pas eu le temps. Il attendait que les formalités du divorce soient terminées... Je me demande, au fait, comment cela va se passer... Je ne sais pas au juste où ils en sont mais, si tous les papiers ne sont pas signés, il v

a des chances pour que Muriel Halligan soit con-
sidérée comme la veuve de David...

— C'est tout ce que vous savez?

Il répondit simplement :

— Non. Je sais aussi, tout au moins en partie,
ce qui s'est passé la nuit dernière, et autant que
ce soit moi qui vous le dise que Louise. Avant
tout, je tiens à vous affirmer qu'elle n'a pas tué
David Ward. D'abord elle en est probablement
incapable...

— Physiquement?

— C'est le sens que je donne au mot, oui.
Moralement, si je puis employer cette expression, nous sommes tous capables de tuer, à condition d'avoir un motif suffisant et d'être persua-
dés que nous ne serons pas pris.

— Un motif suffisant?

— La passion, d'abord. On est bien obligé de
le croire, puisqu'on voit chaque jour des hommes
ou des femmes commettre des crimes passion-
nels... Encore que mon opinion là-dessus... Mais
passons!... L'intérêt... Si les gens ont un intérêt
assez fort... Or, ce n'est pas le cas de Louise,
tout au contraire...

— A moins que Ward ait fait un testament
en sa faveur ou que...

— Il n'y a pas de testament en sa faveur,
croyez-moi... David est un Anglais, par consé-
quent un homme de sang-froid, et il donne à
chaque chose la valeur qu'elle mérite...

— Il était amoureux de la comtesse?

Van Meulen fronça les sourcils, agacé.

— C'est la troisième ou la quatrième fois, Maigret, que vous prononcez ce mot-là. Essayez donc

de comprendre. David avait mon âge. Louise est
un petit animal joli, amusant, passionnant même.
En outre, elle a fait ses classes, si je puis m'exprimer ainsi, c'est-à-dire qu'elle a pris les habitudes d'un certain milieu, d'un certain genre de
vie...

— Je crois que je comprends.

— Cela m'évite d'être plus précis. Je ne pré-
tends pas que ce soit très beau, mais c'est hu-
main. Les journalistes, eux, ne comprennent pas,
et, à chacune de nos aventures, parlent de coup
de foudre... Jean ! Mon carnet de chèques..

Il n'avait plus que son smoking à passer et il
regarda l'heure à sa montre.

— Hier soir, ils ont dîné en ville puis, tous
les deux, ils sont allés prendre un verre dans un
cabaret, je n'ai pas demandé lequel. Le hasard
a voulu qu'ils rencontrent Marco en compagnie
d'une grosse blonde qui est une Hollandaise de
la meilleure société... Ils se sont à peine salués,
de loin. Marco a dansé avec sa partenaire. Louise
était nerveuse et, quand elle est rentrée au George V avec David, elle lui a dit, dans l'ascenseur,
qu'elle avait encore envie d'une bouteille de
champagne.

— Elle boit beaucoup?

— Trop. David aussi buvait trop, mais seulement le soir. Ils ont bavardé, chacun devant sa
bouteille, car David ne prenait que du scotch,
et je soupçonne qu'à la fin la conversation commençait à devenir incohérente. Après quelques
verres, Louise a volontiers un complexe de cul-
pabilité et elle s'accuse de tous les péchés d'Is-
raël... D'après ce qu'elle m'a dit ce midi, elle a

déclaré à David qu'elle n'était pas assez bonne
pour lui, qu'elle se méprisait de n'être qu'une
femelle tourmentée mais qu'elle ne pouvait faire
autrement que de courir après Marco et de le
supplier de la reprendre...

— Qu'est-ce que Ward a répondu?

— Rien. Ce n'est même pas sûr qu'il ait compris. C'est pourquoi je vous ai demandé si on
avait la preuve que quelqu'un l'a maintenu dans
la baignoire. Jusqu'à minuit, une heure du matin,
il tenait le coup, car il ne commençait à boire
qu'à cinq heures de l'après-midi. Vers deux heures
du matin, il devenait nuageux et j'ai plusieurs
fois pensé qu'il pourrait avoir un accident en prenant son bain. Je lui ai même conseillé d'avoir
toujours un valet de chambre auprès de lui, mais
il avait horreur de se sentir à la merci des gens.
Pour la même raison, il exigeait qu'Arnold vive
dans un autre hôtel. Je me demande si ce n'était
pas une sorte de pudeur de sa part.

»Maintenant, c'est à peu près tout. Louise
s'est déshabillée, a passé une robe de chambre
et il est possible que, la bouteille de champagne
étant vide, elle ait avalé une gorgée de whisky.
Elle s'est figuré alors qu'elle avait fait de la
peine à David et elle a voulu aller lui en demander pardon... C'est bien d'elle, croyez-le, car je
la connais... Elle s'est engagée dans le couloir...
Elle m'a juré qu'elle a trouvé la porte entr'ouverte... Elle est entrée... Dans la salle de bain,
elle a vu ce que vous savez et, au lieu d'appeler,
elle a couru dans sa chambre où elle s'est jetée
sur son lit... Elle prétend qu'alors elle a réellement voulu mourir et c'est fort possible...

» Elle a donc pris des comprimés de somnifère dont elle usait déjà de mon temps, surtout quand elle avait bu... »

— Combien de comprimés?

— Je devine ce que vous pensez. Vous avez peut-être raison. Elle désirait mourir, parce que cela arrangeait tout, mais elle n'aurait pas été fâchée de vivre, n'est-ce pas? L'intention suffisait, produisait le même effet... Toujours est-il qu'elle a sonné à temps... Mettez-vous à sa place... Tout cela, pour elle, était comme un cauchemar, où le réel et l'irréel se mélangeaient au point de ne plus s'y reconnaître...

» A la clinique, quand elle a repris conscience, c'est la réalité crue qui l'a emporté... Sa première idée a été de téléphoner à Marco, et elle a appelé son numéro... Personne n'a répondu... Elle a appelé alors un hôtel de la rue de Ponthieu où il lui arrive de passer la nuit quand il est en bonne fortune... Il n'y était pas non plus... Elle a pensé à moi.. Elle m'a dit, en phrases décousues, qu'elle était perdue, que David était mort, qu'elle avait failli mourir, qu'elle regrettait de n'être pas morte aussi et elle m'a supplié d'accourir tout de suite..

» Je lui ai répondu que c'était impossible. Après avoir essayé en vain d'obtenir des précisions je lui ai conseillé de se rendre à Orly et d'y prendre l'avion pour Nice..

» C'est tout, Maigret. Je l'ai envoyée à Lausanne, où elle a ses habitudes non pas afin de la dérober à la police, mais pour lui éviter l'assaut des journalistes, des curieux, toutes les complications qui ne vont pas manquer de survenir

» Vous me dites que David a été assassiné et je vous crois.

» J'affirme, moi, que ce n'est pas Louise qui l'a tué et que je n'ai pas la moindre idée de qui a pu faire ça.

« Maintenant... »

Il passait enfin son smoking.

— Si on me demande, je suis au Sporting... disait-il à son secrétaire.

— C'est-ce que je fais si c'est New York?

— Vous dites que j'ai réfléchi et que ma réponse est non.

— Bien, monsieur...

— Vous venez, Maigret?...

Ils prirent ensemble l'ascenseur et, quand celui-ci arriva au rez-de-chaussée, ils eurent la désagréable surprise de recevoir en plein visage le flash d'un photographe.

— J'aurais dû m'en douter... grommela Van Meulen.

Et, bousculant un petit homme replet qui se tenait près de l'opérateur et qui tentait de lui barrer le passage, il se précipita vers la sortie.

— Le commissaire Maigret?

Le petit homme était le reporter d'un journal de la Côte.

— Il y a moyen de bavarder avec vous un moment?

Le concierge les observait de loin en fronçant les sourcils.

— Nous pourrions nous asseoir dans un coin...

Maigret avait assez d'expérience pour savoir que cela ne servirait à rien de se dérober, car

alors on lui ferait dire des choses qu'il n'avait
jamais dites.

— Je suppose, continuait le journaliste, que
je ne peux pas vous offrir un verre au bar?

— Je viens d'en boire un.

— Chez Joseph Van Meulen?

— Oui.

— C'est exact que la comtesse Palmieri était
sur la Côte cet après-midi?

— C'est exact.

Le commissaire s'était assis dans un énorme
fauteuil de cuir et le reporter, son bloc à la main,
lui faisait face, installé sur l'extrême bord d'une
chaise.

— Je suppose qu'elle est la suspecte numéro 1?

— Pourquoi?

— C'est ce qu'on nous a téléphoné de Paris.

Quelqu'un avait dû alerter la presse, du
George V ou de l'aéroport, peut-être un des inspecteurs d'Orly qui était de mèche avec un journal?

— Vous l'avez ratée?

— C'est-à-dire que, quand je suis arrivé à
Nice, elle était déjà repartie.

— Pour Lausanne, je sais.

La presse n'avait pas perdu de temps.

— Je viens de téléphoner au Lausanne-Palace.
Elle y est arrivée de Genève en taxi. Elle paraissait épuisée. Elle a refusé de répondre aux questions des reporters qui l'attendaient et elle est
montée tout de suite dans son appartement, le
214.

Le journaliste semblait satisfait de donner
ainsi les tuyaux au commissaire Maigret.

— Elle a fait monter une bouteille de champagne, puis elle a fait appeler un médecin qu'on attend d'un moment à l'autre. Croyez-vous qu'elle ait tué le colonel?

— Je suis moins rapide que vous et vos compères.

— Vous irez à Lausanne?

— C'est possible.

— Par l'avion de demain matin? Vous savez que la troisième femme du colonel habite Lausanne et que la comtesse Palmieri et elle ne peuvent pas se sentir?

— Je l'ignorais.

Curieuse interview, où c'était le reporter qui donnait des nouvelles.

— A supposer qu'elle soit coupable, je suppose que vous n'auriez pas le droit de l'arrêter?

— Sans mandat d'extradition, non.

— Je suppose que, pour obtenir un mandat d'extradition, il est nécessaire de fournir des preuves formelles?

— Ecoutez, mon ami, j'ai l'impression que vous êtes en train d'improviser votre article et je ne vous conseille pas de l'écrire sur ce ton-là. Il n'est question ni d'arrestation, ni d'extradition...

— La comtesse n'est pas suspecte?

— Je n'en sais rien.

— Donc...

Cette fois, Maigret se fâcha.

— Non! cria-t-il presque, au point de faire sursauter le concierge. Je ne vous ai rien dit, pour la bonne raison que je ne sais rien, et si vous mettez dans ma bouche des paroles ambi-

4

gües comme celles que vous venez de débiter,
vous aurez de mes nouvelles...

— Mais...

— Rien du tout! trancha-t-il en se levant et
en se dirigeant vers le bar.

Il était tellement en colère qu'il commanda
sans s'en rendre compte :

— Un martini...

Le barman devait le reconnaître d'après ses
photographies, car il le regardait curieusement.
Deux ou trois personnes, juchées sur de hauts
tabourets, se retournèrent pour le dévisager. Malgré les précautions du concierge, tout le monde
savait déjà qu'il était à l'hôtel.

— Où sont les cabines téléphoniques?

— A gauche, dans le couloir...

Il s'enferma, grognon, dans la première.

— Donnez-moi Paris, s'il vous plaît... Dan-
ton 44.20...

Les lignes n'étaient pas encombrées et il n'y
avait que cinq minutes d'attente. Il fit les cent
pas dans le couloir. La sonnerie le rappela avant
le délai annoncé.

— La P.J?... Passez-moi le bureau des inspecteurs... Ici, Maigret... Allo! Lucas est encore
là?...

Il se doutait que le brave Lucas avait eu une
journée mouvementée, lui aussi, et qu'il n'irait
pas se coucher de bonne heure.

— C'est vous, patron?...

— Je suis à Monte-Carlo, oui... Les nouvelles?

— Vous savez sans doute que, malgré toutes
nos précautions, la presse est au courant?...

— Je sais, oui...

— La troisième édition de *France-Soir* est
sortie avec un grand article en première page...
A quatre heures de l'après-midi, des journalistes
anglais sont arrivés de Londres en même temps
qu'un M. Philps, une sorte d'avocat ou de notaire...

— Sollicitor...

— C'est ça... Il a tenu à voir personnellement
le grand patron... Ils sont restés enfermés plus
d'une heure... A sa sortie, il a été assailli, inter-
viewé, photographié, et il a donné un coup de
parapluie à un photographe dont il voulait briser
l'appareil...

— C'est tout?

— On parle de la petite comtesse, la maîtresse
de Ward, qui aurait commis le crime, et on annonce que vous êtes personnellement sur ses talons... Un certain John Arnold m'a téléphoné...
Il paraît furieux...

— Ensuite?

— Les journalistes ont envahi le George V,
qui a fait appel à ses agents pour les jeter dehors...

— Lapointe?

— Il est ici. Il désire vous parler... Je vous le
passe?...

La voix de Lapointe.

— Allô, patron?. Je suis allé à l'Hôpital
Américain de Neuilly comme convenu... J'ai
questionné l'infirmière, la standardiste, la réceptionniste... En partant, la comtesse Paverini
a remis une lettre à cette dernière en lui demandant de bien vouloir la poster... Elle était adressée au comte Marco Paverini, rue de l'Etoile...

Comme je n'avais rien appris d'intéressant à l'hôpital, je suis allé à cette adresse... C'est une
maison meublée assez élegante... J'ai interrogé
la gérante, qui a d'abord fait quelques difficul-
tés... Il paraît que le comte Palmieri n'a pas
couché chez lui la nuit dernière, ce qui lui arrive
assez souvent... Il est rentré vers onze heures, ce
matin, l'air préoccupé, sans même passer par la
loge pour voir s'il y avait du courrier pour lui...
Moins d'une demi-heure plus tard, il repartait,
une petite valise à la main... Depuis, on n'a pas
de nouvelles...

Maigret se taisait, car il n'avait rien à dire, et,
à l'autre bout du fil, il sentait Lapointe dérouté.

— Qu'est-ce que je fais? Je continue à le re-
chercher?

— Si tu veux...

La réponse était bien faite pour désorienter
Lapointe davantage encore.

— Vous ne croyez pas...?

Qu'est-ce que Van Meulen lui avait dit tout à
l'heure? Tout le monde est capable de tuer, à
condition d'avoir une raison suffisante. La passion... Cela pouvait-il être le cas, alors que Louise
avait été mariée près de trois ans à un autre et
qu'elle était la maîtresse du colonel depuis plus
d'un an? N'était-elle pas, justement, en train de
quitter celui-ci pour retourner à son premier
mari?

L'intérêt? Qu'est-ce que Palmieri pouvait
avoir à gagner à la mort de Ward?

Maigret était un peu découragé, comme cela lui
arrivait souvent au début d'une enquête. Il y a
toujours un moment où les personnages parais-

sent irréels et où leurs faits et gestes ont quelque
chose d'incohérent.

Pendant ces périodes-là, Maigret était maussade, plus lourd, comme plus épais. Encore que
dernier venu dans son équipe, le jeune Lapointe
commençait à le connaître assez pour se rendre
compte, même au bout du fil, de ce qui se passait.

— Je ferai de mon mieux, patron... J'ai
dressé une liste des personnes qui figurent sur les
photographies... Il n'en reste que deux ou trois
à identifier...

L'air était étouffant dans la cabine, d'autant
plus que Maigret n'était pas habillé pour la Côte
d'Azur. Il alla finir son verre au bar, aperçut
des tables dressées pour le dîner à la terrasse.

— On peut manger?

— Oui. Mai je crois que ces tables-là sont réservées. Elles le sont chaque soir. On vous don-
nera une place à l'intérieur...

Parbleu! Et, si on l'avait osé, on l'aurait sans
doute prié de manger avec le personnel!

5

*Où Maigret rencontre enfin quelqu'un qui n'a
pas d'argent et qui se fait du souci.*

IL DORMIT MAL,
sans perdre complètement conscience de l'endroit
où il était, de l'hôtel aux deux cents fenêtres
ouvertes, des lampadaires encadrant le jardin pu-
blic aux pelouses bleuâtres, du casino désuet
comme les vieilles dames aux toilettes d'un autre
âge qu'il y avait vues entrer après le dîner, de la
mer paresseuse qui, toutes les douze secondes—
il avait compté et recompté, comme d'autres
comptent les moutons — laissait retomber une
frange ruisselante sur les rochers du rivage.

Des autos s'arrêtaient et repartaient, faisaient
des manoeuvres compliquées. Des portières cla-
quaient. On entendait si distinctement les voix
qu'on avait l'impression d'être indiscret, et il y
avait encore les cars bruyants qui amenaient les

joueurs par pleines fournées pour en emporter d'autres, et aussi de la musique, en face, à la terrasse du Café de Paris.

Quand, par miracle, un court silence s'établissait, on découvrait en arrière-fond, comme la flûte dans un orchestre, le bruit léger, anachronique d'un fiacre.

Il avait laissé sa fenêtre ouverte parce qu'il avait chaud. Mais, comme il n'avait emporté aucun bagage et qu'il était couché sans pyjama, il se retrouva transi, alla la refermer, avec un regard maussade aux lumières du Sporting, là-bas, au bout de la plage, où Joseph Van Meulen, « papa », comme disait la petite comtesse, présidait une table de vingt couverts.

Parce que son humeur n'était plus la même, les gens lui apparaissaient sous un jour différent et il s'en voulait maintenant, se sentait presque humilié d'avoir écouté le financier belge comme un enfant sage, sans pour ainsi dire oser l'interrompre.

Est-ce qu'il n'avait pas été flatté, au fond, qu'un homme aussi convenable le traite avec une familiarité amicale? Contrairement à John T. Arnold, le petit Anglais replet, irritant d'assurance, Van Meulen n'avait pas eu l'air de lui faire un cours sur les usages d'un certain milieu et c'était lui qui s'était montré touché de ce que Maigret se soit dérangé, en personne.

— Vous, vous me comprenez, semblait-il dire à tout instant.

Maigret ne s'était-il pas laissé berner? *papa...* *La petite comtesse...*

David... Et tous ces autres prénoms, qu'ils

employaient les uns et les autres sans se donner
la peine de préciser, comme si le monde entier
se devait d'être au courant..

Il sombrait un petit peu, se retournait lourde-
ment, revoyait soudain l'autre, le colonel, nu
dans sa baignoire, puis le Belge, nu aussi, que
le masseur à tête de boxeur était en train de pé-
trir.

Ces gars-là n'étaient-ils pas trop civilisés pour
être au-dessus de tous soupçons ?

— Tout homme est capable de tuer, à condition d'y avoir un intérêt suffisant et d'être plus
ou moins assuré qu'il ne sera pas pris...

Van Meulen, cependant ne pensait pas que la
passion soit un intérêt suffisant. N'avait-il pas
délicatement fait comprendre que, pour certains,
la passion est presque impensable !

« ... A notre âge... Une femme jeune, agréable, qui a fait ses classes... »

Leur *petite comtesse* appelait le médecin, gei-
gnait, se laissait transporter à l'hôpital puis, en
douce, téléphonait, d'abord à Paris, cherchant à
rejoindre son premier mari qui était toujours son
amant intermittent, enfin le bon *papa* Van Meulen.

Elle savait que Ward était mort. Elle avait vu
le cadavre. La pauvre petite ne savait plus à
quel saint se vouer.

Appeler la police ? Pas question. Elle avait les
nerfs trop ébranlés. Et qu'est-ce que la police,
avec ses gros souliers et son esprit borné, pouvait
comprendre à des histoires de *leur* monde ?

— Prenez l'avion, mon petit. Venez me voir et
je vous conseillerai...

Pendant ce temps-là, l'autre, John T. Arnold, arrivait au George V, se répandait en recommandations, en nuances à peine voilées.

— Attention ! N'alertez pas la presse. Agissez avec précaution. Cette affaire, c'est de la dynamite. De gros intérêts sont en jeu. Le monde entier va s'émouvoir.

C'était lui, cependant, qui téléphonait aux attorneys de Londres pour qu'ils accourent, sans doute afin de l'aider à truquer l'affaire.

Van Meulen, tranquillement, comme si c'était la chose la plus naturelle, la plus régulière, envoyait la comtesse Paverini se reposer à Lausanne.

Ce n'était pas une fuite, non. Elle n'essayait pas d'échapper à la police.

— Vous comprenez, là-bas, elle a ses habitudes... Elle évitera l'assaut des journalistes le brouhaha qui entoure une enquête...

A Maigret de se déranger, de prendre l'avion à nouveau...

Maigret avait horreur de la démagogie. Son jugement sur les êtres ne dépendait pas de leur fortune, qu'ils en aient trop ou trop peu. Il tenait à conserver son sang-froid, mais il ne pouvait s'empêcher d'être irrité par cent détails.

Il entendit rentrer les dîneurs du fameux gala, qui parlaient à voix haute dehors, puis dans les appartements, faisaient couler les robinets, déclenchaient les chasses d'eau.

Il était le premier debout, à six heures du matin, et il se rasait avec le rasoir bon marché qu'il s'était fait acheter, en même temps qu'une brosse à dents, par un chasseur. Il fallut près d'une demi-

heure pour obtenir une tasse de café. Dans le
hall, quand il le traversa, on vaquait au ménage
et, lorsqu'il demanda sa note à l'employé dé-
fraîchi de la réception, celui-ci lui répondit.

— M. Van Meulen a laissé des instructions...

— M. Van Meulen n'a pas d'instructions à
donner...

Il tenait à payer. Devant la porte, la Rolls du
financier belge attendait, le chauffeur tenant la
portière ouverte.

— M. Van Meulen m'a recommandé de vous
conduire à l'aéroport...

Il prit quand même place dans la voiture, parce
qu'il n'avait jamais roulé dans une Rolls. Il était
en avance. Il acheta des journaux. Celui de Nice
reproduisait en première page son portrait en
compagnie de Van Meulen, devant l'ascenseur.

Légende : « Le commissaire Maigret sortant
d'une conférence avec le milliardaire Van Meulen ».

Une conférence !

Les journaux de Paris imprimaient en gros caractères :

Un milliardaire anglais trouvé mort dans sa bai-
gnoire.

On mettait du milliardaire partout.

Crime ou accident?

Les journalistes ne devaient pas être levés car,
au moment de l'envol, on le laissa tranquille.
Il boucla sa ceinture, regarda vaguement par le
hublot la mer qui s'éloignait, puis les petites mai-

sons blanches à toit rouge disséminées dans le
vert sombre de la montagne.

— Café ou thé?

Il avait l'air de bouder. L'hôtesse de l'air, qui
s'empressait, n'eut pas droit à un sourire et
quand, sous un ciel sans un nuage, il découvrit
les Alpes au-dessous de lui, avec de grandes
trainées de neige, il ne consentit pas à avouer
que c'était un magnifique spectacle.

Il est vrai que, moins de dix minutes plus tard,
on entrait dans une buée légère qui filait le long
de l'avion et qui ne tardait pas à se transformer
en vapeur opaque comme celle qu'on voit, dans
les gares, sortir en sifflant des locomotives.

A Genève, il pleuvait. Il ne commençait pas à
pleuvoir. Il pleuvait depuis longtemps, cela se
sentait, il faisait froid et tout le monde portait
des imperméables.

A peine avait-il mis le pied sur la passerelle
que les flashes éclataient. Si les journalistes
n'étaient pas au départ, ils l'attendaient à l'arrivée, sept ou huit, avec leurs carnets, leurs
questions.

— Je n'ai rien à dire...

— Vous allez à Lausanne?

— Je n'en sais rien...

Il les écartait, aidé, fort aimablement, par un
représentant de la Swissair qui, lui évitant les
formalités et les queues, le pilotait à travers les
coulisses de l'aérogare.

— Vous avez une voiture? Vous prenez le train
pour Lausanne?

— Je crois que je vais prendre un taxi.

— Je vous en appelle un.

Deux autos suivirent la sienne, bourrées de reporters et de photographes. Toujours grognon,
il essaya de somnoler dans un coin, jetant vaguement un coup d'œil, de temps en temps, sur les
vignes mouillées, sur des pans de lac gris qu'on
entrevoyait entre les arbres.

Ce qui le fâchait le plus, c'était l'impression
qu'on avait en quelque sorte décidé de ses faits et
gestes. Il ne venait pas à Lausanne parce que
c'était son idée d'y venir, mais parce qu'on lui
avait tracé un chemin qui y conduisait bon gré,
mal gré.

Son taxi s'arrêtait devant les colonnes du
Lausanne-Palace. Les photographes le mitrail-
laient. On lui posait des questions. Le portier
l'aidait à se frayer un passage.

A l'intérieur, il retrouvait la même atmosphère
qu'au George V ou qu'à l'Hôtel de Paris, à
croire que les gens qui voyagent tiennent à ne
pas changer de décor. Peut-être, ici, était-ce un
peu plus grave, plus lourd, avec un concierge en
redingote noire discrètement rehaussée d'or. Il
parlait cinq ou six langues, comme les autres,
et la seule différence c'est qu'en français il
avait un léger accent allemand.

— La comtesse Paverini est ici?

— Oui, Monsieur le Commissaire. Au 204
comme d'habitude.

Dans les fauteuils du hall, une famille d'asia-
tiques attendaient Dieu sait quoi, la femme en sari
doré, trois enfants aux grands yeux sombres qui
le regardaient curieusement.

Il était à peine dix heures du matin.

— Je suppose qu'elle n'est pas levée?

— Il y a une demi-heure qu'elle a sonné pour son petit déjeuner. Vous voulez que je l'avertisse que vous êtes arrivé? Je crois qu'elle vous attend.

— Savez-vous si elle a donné ou reçu des coups de téléphone?

— Il vaudrait mieux vous adresser au standard... Hans... Conduis le commissaire au standard...

C'était au bout d'un couloir, derrière la réception. Trois femmes, côte à côte, maniaient les fiches.

— Pouvez-vous me dire...

— Un instant...

Et, en anglais :

— Vous avez Bangkok, monsieur...

— Pouvez-vous me dire si la comtesse Palmieri a donné ou reçu des coups de téléphone depuis son arrivée. ?

Elles avaient des listes devant elles.

— Cette nuit, à une heure, elle a reçu un appel de Monte-Carlo...

Van Meulen, sans doute, *papa*, qui, entre deux danses, au Sporting, ou plus probablement entre deux bancos s'était dérangé pour prendre de ses nouvelles.

— Ce matin, elle a appelé Paris...

— Quel numéro?

Celui de la garçonnière de Marco, rue de l'Etoile.

— On a répondu?

— Non. Elle a laissé un message pour qu'on rappelle...

— C'est tout?

— Il y a une dizaine de minutes, elle a à nouveau demandé Monte-Carlo.

— Elle l'a eu?

— Oui. Deux fois trois minutes...

— Voulez-vous m'annoncer?

— Volontiers, M. Maigret.

C'était idiot. A force d'entendre parler d'elle,
il était un peu impressionné et cela l'humiliait.
Dans l'ascenseur, il se sentait dans l'état d'esprit d'un jeune homme qui va voir pour la première fois en chair et en os une actrice célèbre.

— Par ici...

Le chasseur frappait à une porte. Une voix répondait « entrez ». On lui ouvrait le battant et
Maigret se trouvait dans un salon dont les deux
fenêtres donnaient sur le lac.

Il n'y avait personne. Une voix lui parvint de
la chambre voisine, dont la porte était entr'ouverte.

— Asseyez-vous, monsieur le commissaire. Je
suis à vous tout de suite...

Sur un plateau, des oeufs au bacon auxquels
on avait à peine touché, des petits pains, un
croissant émietté. Il crut reconnaître le bruit caractéristique d'une bouteille qu'on rebouche. Enfin, un froissement soyeux.

— Excusez-moi...

Toujours comme le monsieur qui surprend une
actrice dans son intimité, il était dérouté, déçu.
Devant lui se tenait une petite personne très quelconque, à peine maquillée, le teint pâle, les yeux
fatigués, qui lui tendait une main moite et trem-
blante.

— Asseyez-vous, je vous en prie...

Par l'entrebâillement de la porte, il eut le temps d'apercevoir le lit défait, des choses en désordre, un flacon pharmaceutique sur la table de nuit.

Elle s'asseyait en face de lui, croisait sur ses jambes les pans d'une robe de chambre en soie crème qui laissait transparaître la chemise de nuit.

— Je suis si désolée de vous avoir donné tout ce mal...

Elle paraissait bien ses trente-neuf ans et même, en ce moment, plutôt davantage. Un cerne profond, bleuâtre, creusait ses paupières, et une ride très fine se creusait au coin de chaque narine.

Elle ne jouait pas la comédie de la fatigue. Elle était réellement lasse, à bout de forces, prête à pleurer, aurait-il juré. Elle le regardait, ne sachant que dire, quand le téléphone sonna.

— Vous permettez ?

— Je vous en prie.

— Allo ! C'est moi, oui... Vous pouvez me la passer... Oui, Anne... C'est gentil à vous de m'appeler... Merci... Oui... Oui... Je ne sais pas encore... J'ai quelqu'un avec moi en ce moment... Non. Ne me demandez pas de sortir... Oui... Dites à Son Altesse... Merci... A bientôt...

De minuscules perles de sueur sourdaient au-dessus de sa lèvre supérieure et, tandis qu'elle parlait, Maigret percevait une odeur d'alcool.

— Vous m'en voulez beaucoup ?

Elle ne minaudait pourtant pas, semblait naturelle, trop ébranlée pour avoir le courage de jouer un rôle.

— C'est tellement affreux, tellement inattendu !... Et juste le jour où...

— Où vous annonciez au colonel Ward que vous étiez décidée à le quitter? C'est ce que vous vouliez dire?

Elle fit oui de la tête.

— Je crois que Jef... je crois que Van Meulen vous a tout raconté, n'est-ce pas? Je me demande ce que je pourrais vous dire de plus... Est-ce que vous allez me ramener à Paris?...

— Cela vous fait peur?

— Je ne sais pas... Il m'a recommandé de vous suivre si vous en décidiez ainsi... Je fais tout ce qu'il me dit... C'est un homme si intelligent et si bon, si supérieur !... On dirait qu'il sait tout, prévoit tout...

— Il n'a pas prévu la mort de son ami Ward...

— Mais il avait prévu que je retournerais avec Marco...

— C'était convenu entre Marco et vous? Je croyais que, quand vous vous êtes trouvés face à face dans le cabaret, votre premier mari était accompagné d'une jeune Hollandaise et que vous ne lui aviez pas parlé...

— C'est vrai... J'ai quand même décidé...

Ses mains nerveuses, plus vieilles que son visage ne tenaient pas en place, ses doigts s'étreignaient, laissant des marques blanches à la jointure des phalanges.

— Comment voulez-vous que je vous explique ça, alors que je ne sais pas moi-même? Tout allait bien. Je me croyais guérie. Nous attendions, David et moi, que les derniers papiers soient signés pour nous marier... David était un homme dans le genre de Van Meulen, pas tout à fait la même chose, mais presque...

— Qu'entendez-vous par là ?

— Avec *papa*, j'ai l'impression qu'il me dit toujours ce qu'il pense... Pas nécessairement tout, parce qu'il ne veut pas me fatiguer par les détails... Je me sens en contact direct, vous comprenez ?... David, lui, me regardait vivre avec ses gros yeux où il y avait toujours une petite lueur amusée... Peut-être n'était-ce pas de moi qu'il se moquait, mais de lui... Il était comme un gros chat très malin, très philosophe...

Elle répéta :

— Vous comprenez ?

— Au début de la soirée, quand vous êtes allée dîner avec le colonel, vous n'aviez pas l'intention de rompre ?

Elle réfléchit un instant.

— Non.

Puis elle se reprit :

— Mais je me doutais que cela arriverait un jour...

— Pourquoi ?

— Parce que ce n'était pas ma première expérience. Je ne voulais pas retourner avec Marco, car je savais bien...

Elle se mordit la lèvre.

— Vous saviez quoi ?

— Que ce serait à recommencer... Il n'a pas d'argent et je n'en ai pas non plus...

Elle partit soudain sur une nouvelle idée, parlant à la façon rapide et hachée d'une intoxiquée.

— Je n'ai pas de fortune, vous savez ? Je ne

possède rien du tout. Si Van Meulen n'envoyait
pas d'argent à la banque, ce matin, le chèque que
j'ai signé à l'aéroport serait sans provision. Il a
dû m'en donner, hier, pour que je puisse venir
ici. Je suis très pauvre...

— Vos bijoux...

— Des bijoux, oui... Et mon vison... C'est
tout !...

— Mais le colonel...?

Elle soupirait, désespérant de se faire entendre.

— Cela ne se passe pas comme vous croyez...
Il payait mon appartement, mes factures, mes
voyages... Mais je n'avais jamais d'argent dans
mon sac... Tant que j'étais avec lui, je n'en avais
pas besoin...

— Tandis qu'une fois mariée...

— Cela aurait été pareil...

— Il a fait une pension à ses trois autres femmes...

— Après ! Quand il les a quittées...

Il posa crûment la question.

— Agissait-il ainsi pour éviter que vous don-
niez de l'argent à Marco?

Elle le regarda fixement.

— Je ne crois pas. Je n'y ai pas pensé. David
n'avait jamais d'argent en poche non plus. C'est
Arnold qui payait les factures en fin de mois.
Maintenant, j'ai quarante ans et...

Elle regardait autour d'elle avec l'air de dire
qu'elle allait devoir quitter tout ça. Les sillons,
aux ailes du nez, se creusaient, jaunâtres. Elle
hésitait à se lever.

— Vous permettez un instant?..

Elle entra vivement dans la chambre dont elle

referma la porte et, quand elle revint, Maigret
reçut une nouvelle bouffée d'alcool.

— Qu'est-ce que vous êtes allée boire?

— Une gorgée de whisky, puisque vous voulez le savoir. Je ne tiens plus debout. Il m'arrive
de rester des semaines sans boire...

— Sauf du champagne?

— Sauf une coupe de champagne de temps en
temps, oui... Mais, quand je suis dans l'état où
je me trouve maintenant, j'ai besoin...

Il aurait juré qu'elle avait bu à la bouteille,
avidement, comme certains drogués se piquent
à travers leurs vêtements pour aller plus vite.

Ses yeux étaient plus brillants, son débit plus
volubile.

— Je vous affirme que je n'avais rien décidé.
J'ai vu Marco avec cette femme et j'ai reçu un
choc...

— Vous la connaissiez?

— Oui... C'est une divorcée et son mari, qui
s'occupe de transports maritimes, était en relations d'affaires avec David...

Ces gens-là se connaissaient, se retrouvaient
autour de la table des conseils d'administration,
sur les plages, dans les cabarets, et les mêmes
femmes, semblait-il, passaient du lit de l'un au
lit d'un autre avec un parfait naturel.

— Je savais que Marco et elle avaient eu des
relations à Deauville... On m'avait même affir-
mé qu'elle était décidée à l'épouser, mais je ne
l'avais pas cru... Elle est très riche et il n'a
rien...

— Vous vous êtes mis en tête d'empêcher le
mariage?

Elle eut les lèvres plus minces, plus dures.

— Oui...

— Vous croyez que Marco se serait laissé faire ?

Ses prunelles se mouillaient, mais elle refusait de pleurer.

— Je ne sais pas... Je n'ai pas réfléchi... Je les épiais tous les deux... Il le faisait exprès de passer très droit en dansant, sans m'accorder un coup d'oeil...

— De sorte que, logiquement, c'est Marco qui aurait dû être tué ?

— Que voulez-vous dire ?

— L'idée ne vous est jamais venue de le tuer ? Vous ne l'en avez menacé à aucun moment ?

— Comment le savez-vous ?

— Il ne vous en a pas crue capable ?

— Van Meulen vous l'a dit, n'est-ce pas ?

— Non.

— Ce n'est pas si simple que ça... Nous avions déjà bu en dînant... Au Monseigneur, j'ai vidé une bouteille de champagne et je crois bien que j'ai bu deux ou trois fois au verre de whisky de David... J'hésitais à faire un esclandre, à aller arracher Marco des bras de cette femme affreusement grasse qui a une peau rose de bébé...

» David a insisté pour que nous partions... J'ai fini par le suivre... Dans l'auto, je n'ai pas desserré les dents... J'envisageais de sortir de l'hôtel un peu plus tard et de retourner au cabaret pour... Je ne sais pas pourquoi... Ne me demandez pas de précisions... David a dû le deviner... C'est lui qui a proposé que nous prenions un dernier verre dans mon appartement...

— Pourquoi dans le vôtre ?

La question la surprit et elle répéta, interloquée :

— Pourquoi?

Elle cherchait la réponse comme pour elle-même.

— C'était toujours David qui venait chez moi... Je crois qu'il n'aimait pas que... Il était assez jaloux de son intimité...

— Vous lui avez annoncé votre intention de le quitter?

— Je lui ai dit tout ce que je pensais, que je n'étais qu'une chienne, que je ne serais jamais heureuse sans Marco, que celui-ci n'avait qu'à paraître pour...

— Que vous a-t-il répondu?

— Il buvait paisiblement son whisky, en me regardant avec ses gros yeux malicieux...

« — Et l'argent? a-t-il fini par objecter. Vous savez bien que Marco... »

— Il disait vous?

— Il ne tutoyait personne.

— La remarque au sujet de Marco était juste?

— Marco a de gros besoins...

— L'idée ne lui est jamais venue de travailler?

Elle le fixa, interloquée, comme si cette question révélait une naïveté incommensurable.

— Qu'est-ce qu'il ferait?... J'ai fini par me déshabiller...

— Il s'est passé quelque chose entre David et vous?

Nouveau regard surpris.

— Il ne se passait jamais rien... Vous ne comprenez pas... David avait beaucoup bu, lui aussi, comme chaque nuit avant de se coucher...

— Le tiers d'une bouteille?

— Pas tout à fait... Je sais pourquoi vous me demandez ça... C'est moi, quand il a été parti, qui, ne me sentant pas bien, ai pris un peu de whisky... J'avais envie de m'écraser sur mon lit et de ne plus penser... J'ai essayé de dormir... Puis je me suis dit que cela ne marcherait quand même pas avec Marco, que cela ne marcherait jamais, et que je ferais mieux de mourir...

— Combien de tablettes avez-vous prises?

— Je ne sais pas... Plein le creux de ma main... Je me suis sentie mieux... Je pleurais doucement, et je commençais à m'endormir... Puis j'ai imaginé mon enterrement, le cimetière, le... Je me suis débattue... J'avais peur qu'il soit trop tard, que je sois incapable d'appeler... Déjà, je ne pouvais plus crier... Les boutons de sonnerie me semblaient très loin... Mon bras était lourd... Vous savez, comme dans les rêves, quand on veut fuir et que les jambes refusent de courir... J'ai dû atteindre le bouton, puisque quelqu'un est venu...

Elle s'interrompit en voyant le visage de Maigret soudain froid et dur.

— Pourquoi me regardez-vous comme ça?

— Pourquoi mentez-vous?

Il avait été sur le point de s'y laisser prendre.

— A quel moment êtes-vous allée dans la chambre du colonel?

— C'est vrai... J'avais oublié...

— Vous aviez oublié que vous y étiez allée?

Elle secouait la tête, pleurait pour de bon.

— Ne soyez pas dur avec moi... Je vous jure que je n'avais pas l'intention de vous mentir...

La preuve, c'est que j'ai dit la vérité à Jef Van Meulen... Seulement, quand je me suis retrouvée à la clinique et que la panique m'a saisie, j'ai d'abord décidé de prétendre que j'ignorais ce qui était arrivé... J'étais sûre qu'on ne me croirait pas, qu'on me soupçonnerait d'avoir tué David... Alors, maintenant, en vous parlant, j'ai oublié que Van Meulen m'a conseillé de ne rien cacher...

— Combien de temps après le départ du colonel êtes-vous allée chez lui?

— Vous me croirez encore?

— Cela dépend.

— Vous voyez! C'est toujours la même chose avec moi... Je fais ce que je peux... Je n'ai rien à cacher... Seulement, la tête finit par me tourner et je ne sais plus où j'en suis. Est-ce que vous me permettez d'aller boire une gorgée, juste une gorgée?... Je vous promets de ne pas être ivre... Je n'en peux plus, commissaire!...

Il la laissa faire, ayant presque envie de lui demander un verre, lui aussi.

— C'était avant d'avaler les comprimés... Je n'avais pas encore décidé de mourir, mais j'avais déjà bu le whisky... J'étais saoule, malade... J'ai regretté ce que j'avais dit à David... La vie, tout à coup, m'effrayait... Je me voyais vieille, toute seule, sans argent, incapable de gagner ma vie, car je n'ai jamais rien su faire... David, c'était ma dernière chance... Quand j'ai quitté Van Meulen, j'étais plus jeune... La preuve, c'est que...

— Que vous avez ensuite trouvé le colonel.

Elle parut surprise, blessée par son agressivité.

— Pensez de moi tout ce que vous voudrez. Il y a au moins moi pour savoir que vous vous trom-

pez. J'ai eu peur que David me lâche... Je suis
allée, en chemise, sans même un peignoir sur le
corps, jusqu'à son appartement, et j'ai trouvé la
porte entr'ouverte...

— Je vous ai demandé combien de temps s'était
écoulé depuis le moment où il vous avait quittée...

— Je ne sais pas... Je me rappelle que j'ai fu-
mé plusieurs cigarettes... On a dû les retrouver
dans le cendrier... David ne fumait que le cigare...

— Vous n'avez vu personne dans l'appartement ?

— Que lui... J'ai failli crier... Je ne suis pas
sûre de ne pas avoir crié...

— Il était mort ?

Elle le regarda, les yeux écarquillés, comme si
cette idée lui venait pour la première fois.

— Il était... Je crois... En tout cas, je l'ai cru,
et je me suis sauvée...

— Vous n'avez fait aucune rencontre dans le
couloir ?

— Non... Mais... attendez !... J'ai entendu
l'ascenseur qui montait... J'en suis sûre, car je
me suis mise à courir...

— Vous avez encore bu ?

— Peut-être... Machinalement... Alors, décou-
ragée, j'ai pris les comprimés... Je vous ai raconté le reste... Est-ce que... ?

Sans doute allait-elle lui demander encore la
permission d'avaler une gorgée de whisky, mais
le téléphone sonnait, elle tendit un bras mal assuré.

— Allo !... Allo !... Oui, il est ici, oui...

C'était reposant, presque rafraîchissant, d'entendre la voix calme de Lucas, une voix normale, enfin, de l'imaginer assis devant son bureau du quai des Orfèvres.

— C'est vous, patron?

— J'allais t'appeler un peu plus tard...

— Je m'en doutais, mais j'ai cru qu'il valait mieux vous mettre tout de suite au courant. Marco Palmieri est ici.

— On l'a retrouvé?

— Ce n'est pas nous qui l'avons retrouvé. Il est venu de son plein gré. Il est arrivé il y a une vingtaine de minutes, frais et dispos, très dégagé. Il a demandé si vous étiez là et, quand on lui a répondu que non, il a demandé à parler à un de vos collaborateurs. C'est moi qui l'ai reçu. Pour le moment, je l'ai laissé avec Janvier dans votre bureau.

— Que dit-il?

— Qu'il n'a appris toute cette histoire que par les journaux.

— Hier soir?

— Ce matin seulement. Il n'était pas à Paris, mais chez des amis qui ont un château dans la Nièvre et qui donnaient une partie de chasse...

— La Hollandaise l'accompagnait?

— A la chasse? Oui. Ils sont partis ensemble dans sa voiture. Il m'affirme qu'ils vont se marier. Elle s'appelle Anna de Groot et elle est divorcée...

— Je sais... Continue...

Tassée dans son fauteuil, la petite comtesse l'écoutait en mordillant ses ongles dont la laque était écaillée...

— Je lui ai demandé son emploi du temps la nuit précédente...

— Alors?

— Il était dans un cabaret, le Monseigneur...

— Je sais.

— Avec Anna de Groot...

— Je sais aussi...

— Il a aperçu le colonel en compagnie de son ex-femme...

— Ensuite?

— Il a accompagné la Hollandaise chez elle.

— Où?

— Au George V, où elle occupe un appartement au quatrième étage...

— Quelle heure était-il?

— Selon lui, environ trois heures et demie, peut-être quatre heures. J'ai envoyé quelqu'un vérifier, mais je n'ai pas encore la réponse... Ils se sont couchés et il ne s'est levé qu'à dix heures du matin... Il prétend qu'il y a plus d'une semaine qu'ils ont été invités à cette partie de chasse au château d'un banquier de la rue Auber... Marco Paverini a quitté le George V et ils s'est rendu chez lui en taxi pour prendre sa valise... Il a gardé le taxi, qui est resté devant la porte... Il est retourné au George V et, vers onze heures et demie, le couple s'est mis en route dans la Jaguar d'Anna de Groot... Ce matin, au moment de partir pour la chasse, il a parcouru machinalement les journaux dans le hall du château et il a foncé vers Paris, encore botté...

— La Hollandaise l'a accompagné?

— Elle est restée là-bas. Lapointe a téléphon_

au château pour contrôler et un maître d'hôtel
lui a répondu qu'elle suivait la chasse...

— Quel effet t'a-t-il fait?

— Il est très à son aise et paraît sincère. C'est
un grand garçon plutôt sympathique...

Parbleu! Ils étaient tous sympathiques!

— Qu'est-ce que j'en fais?

— Envoie Lapointe au George V. Qu'il éplu-
che les allées et venues de cette nuit-là, ques-
tionne le personnel de nuit...

— Il faudra qu'il aille chez eux, car ils ne sont
pas de service pendant la journée.

— Qu'il y aille... Quant à...

Il préféra ne pas prononcer de nom devant la
jeune femme qui le dévorait des yeux.

— Quant à ton visiteur, tu ne peux rien faire
d'autre, au point où nous en sommes, que de le
laisser partir... Recommande-lui de ne pas quitter Paris... Mets quelqu'un... Oui... Oui... La
routine, quoi!... Je te rappellerai plus tard...
Je ne suis pas seul...

Pourquoi demanda-t-il au dernier moment :

— Quel temps fait-il, là-bas?

— Frisquet, avec un soleil un peu acide...

Comme il raccrochait, la petite comtesse murmura :

— C'est lui?

— Qui?

— Marco... C'est de lui que vous parliez,
n'est-ce pas?...

— Vous êtes sûre de ne pas l'avoir rencontré
dans les couloirs du George V ou dans l'appartement du colonel?

Elle bondit de son fauteuil, à tel point surexcitée qu'il craignit la crise de nerfs.

— Je m'en doutais! cria-t-elle, le visage défiguré. Il était là avec elle, n'est-ce pas, juste au-dessus de ma tête?... Si! Je sais... Elle descend toujours au George V... Je me suis renseignée sur son appartement. Ils étaient là, tous les deux, dans le lit...

Elle paraissait égarée par la colère, par la rage.

— Ils étaient là, à rire, à faire l'amour, pendant que moi...

— Vous ne pensez pas plutôt que Marco était en train...

— En train de quoi?

— Peut-être de maintenir la tête du colonel sous l'eau?

Elle n'en croyait pas ses oreilles. Son corps pantelait sous la robe de chambre transparente et soudain elle se jeta sur Maigret frappant au hasard de ses poings serrés.

— Vous êtes fou?... Vous êtes fou?... Vous osez?... Vous êtes un monstre!... Vous...

Il se sentait ridicule, dans cet appartement d'hôtel, à tenter de saisir les poignets d'une furie dont la colère décuplait l'énergie.

La cravate de travers, les cheveux défaits, le souffle un peu court, il parvenait enfin à l'immobiliser quand on frappa à la porte.

6

Où Maigret est invité à déjeuner,
et où il est toujours question de V.I.P

CELA S'ETAIT TERMI-
né moins mal que Maigret aurait pu le craindre.
Pour la petite comtesse, ces coups frappés à la
porte étaient providentiels, car ils lui permet-
taient de se tirer d'une scène qu'elle ne savait
sans doute pas comment finir.

Une fois de plus, elle s'était précipitée vers la
chambre à coucher tandis que le commissaire,
sans se presser, arrangeant sa cravate, et lissant
ses cheveux, allait ouvrir la porte du couloir.

C'était tout bonnement le garçon d'étage qui,
soudain intimidé, demandait s'il pouvait emporter le plateau du petit déjeuner. Avait-il écouté
à la porte ou, sans écouter particulièrement, surpris des échos de la scène? Si oui, il n'en montrait rien et, quand il sortit, la Comtesse reparut,
plus calme, s'essuyant les lèvres.

— Je suppose que vous avez l'intention de m'emmener à Paris?

— Même si je le désirais, il me faudrait accomplir des formalités assez longues.

— Mon avocat d'ici ne vous laisserait pas obtenir l'extradition. Mais c'est moi qui veux y aller, car je tiens à assister aux obsèques de David. Vous prenez l'avion de quatre heures?

— C'est probable, mais, vous, vous ne le prendrez pas.

— Et pour quelle raison, je vous prie?

— Parce que je ne désire pas voyager avec vous.

— C'est mon droit, non?

Maigret pensait aux journalistes, aux photographes qui ne manqueraient pas de la mitrailler aussi bien à Genève qu'à Orly.

— C'est peut-être votre droit mais, si vous essayez de prendre cet avion, je trouverai un moyen plus ou moins légal pour vous en empêcher. Je suppose que vous n'avez aucune déclaration à me faire?

En définitive, cette entrevue s'était terminée d'une façon presque grotesque et, pour reprendre pied dans une réalité familière, le commissaire avait eu ensuite une conversation téléphonique de près d'une demi-heure avec Lucas. La direction de l'hôtel, spontanément, lui avait offert un petit bureau près de la réception.

Si le docteur Paul n'avait pas encore envoyé son rapport officiel, il avait donné à Lucas un premier rapport téléphonique. Après l'autopsie, il était plus que jamais persuadé que quelqu'un avait maintenu David Ward dans sa baignoire, car on ne pouvait expliquer autrement les ecchy-

moses aux épaules. D'autre part, il n'y avait aucun traumatisme à la nuque ou dans le dos,
comme on en aurait presque sûrement trouvé si
le colonel s'était assommé en glissant et en heur-
tant le bord.

Janvier avait pris Marco en filature et, comme
il fallait s'y attendre, le premier soin de l'ex-
mari de la petite comtesse en quittant le quai des
Orfèvres, avait été de téléphoner à Anna de
Groot.

Lucas était assailli de coups de téléphone,
beaucoup en provenance de grandes banques et
de sociétés financières.

— Vous revenez cet après-midi, patron?

— Par l'avion de quatre heures.

Au moment où il raccrochait, on lui remit une
enveloppe qu'un policier en uniforme venait
d'apporter pour lui. C'était un mot charmant du
chef de la sûreté de Lausanne qui se disait enchanté d'avoir enfin l'occasion de rencontrer le
fameux Maigret et l'invitait à déjeuner « très
simplement, au bord du lac, dans une calme auberge vaudoise. »

Maigret, qui avait une demi-heure devant lui,
téléphona boulevard Richard-Lenoir.

— Tu es toujours à Lausanne? lui demanda
Mme Maigret.

Le Quai des Orfèvres l'avait avertie, la veille,
du départ de son mari et elle en avait eu des nouvelles le matin par les journaux.

— Je reprends l'avion cet après-midi, ce qui
ne signifie pas que je serai à la maison de bonne
heure. Ne m'attends pas pour dîner.

— Tu ramènes la comtesse?

5

Ce n'était pas de la jalousie, certes, mais, pour la première fois, il semblait au commissaire qu'il percevait une inquiétude, en même temps qu'une pointe à peine perceptible d'ironie, dans la voix de sa femme.

— Je n'ai aucune envie de la ramener.

— Ah !

Il alluma sa pipe, sortit de l'hôtel en annonçant au concierge que, si on le demandait, il serait de retour dans quelques minutes. Deux photographes le suivirent, espérant qu'il allait accomplir une démarche révélatrice.

Les mains dans les poches, il se contentait de regarder les vitrines, d'entrer dans un magasin de tabacs pour acheter une pipe, car il était parti si précipitamment qu'il n'en avait qu'une en poche, contre son habitude.

Il se laissa tenter par des boîtes de tabacs inconnus en France, en prit de trois sortes différentes, puis, comme saisi de remords, entra dans la boutique voisine et acheta pour Mme Maigret, un mouchoir brodé aux armes de Lausanne.

Le chef de la police vint le chercher à l'heure dite. C'était un grand gaillard bâti en athlète, qui devait être un fervent du ski.

— Cela ne vous ennuie pas que nous allions manger à la campagne, à quelques kilomètres? Ne craignez rien pour votre avion. Je vous ferai conduire à l'aéroport par une de nos voitures.

Il avait le teint clair, les joues rasées de si près qu'elles en étaient luisantes. Son aspect, sa démarche, étaient d'un homme qui a gardé un contact étroit avec la campagne et Maigret de-

vrait apprendre qu'en effet son père était vigne-
ron près de Vevey.

Ils s'installèrent dans une auberge, au bord du
lac, où, en dehors d'eux, il n'y avait qu'une ta-
blée de gens du pays qui parlaient de la chorale
à laquelle ils appartenaient.

— Vous permettez que je fasse le menu?

Il commanda de la viande séchée des Grisons,
du jambon et du saucisson de campagne, puis un
poisson du lac, un omble-chevalier.

Il observait Maigret, à petits coups d'œil discrets, furtifs qui révélaient sa curiosité et son
admiration.

— C'est une curieuse femme, n'est-ce pas?

— La comtesse?

— Oui. Nous la connaissons bien, nous aussi,
car elle vit à Lausanne une partie de l'année.

Il expliquait, non sans une fierté assez tou-
chante :

— Nous sommes un petit pays, M. Maigret.
Mais, justement parce que nous sommes un petit
pays, la proportion de V.I.P., comme disent les
Anglais, de vraiment importantes personnes, est
plus grande ici qu'à Paris ou que, même, sur la
Côte d'Azur. Si vous en avez plus que nous,
elles sont, chez vous, noyées dans la masse. Ici,
il n'y a pas moyen de ne pas les voir. Ce sont
les mêmes, d'ailleurs, que l'on retrouve aux
Champs-Elysées et sur la Croisette...

Maigret faisait honneur au menu et au petit
vin blanc du pays qu'on avait servi frais dans
une carafe embuée.

— Nous connaissons le colonel Ward, et à peu
près toutes les personnes auxquelles vous avez

affaire en ce moment. Au fait, la troisième femme de Ward, Muriel, est partie précipitamment
ce matin pour Paris.

— Quelle vie mène-t-elle à Lausanne?

Son interlocuteur avait des yeux bleus qui,
quand il réfléchissait, devenaient plus clairs, presque transparents.

— Ce n'est pas facile à expliquer. Elle occupe
un appartement confortable, assez luxueux même, mais plutôt petit, dans un immeuble neuf,
à Ouchy. Sa fille, Ellen, est pensionnaire dans
un établissement fréquenté surtout par des Américaines, des Anglaises, des Hollandaises et des
Allemandes de grandes familles. Nous avons
beaucoup d'écoles de ce genre, en Suisse, et on
nous envoie des enfants du monde entier.

— Je sais...

— Muriel Ward — je dis Ward, car le divorce
n'est pas définitif et elle se fait toujours appeler
ainsi — appartient à ce que nous appelons le club
des dames seules. Ce n'est pas un vrai club, bien
entendu. Il n'y a ni statuts, ni carte de membre,
ni cotisation. Nous désignons ainsi les dames qui
viennent vivre seules en Suisse pour des raisons
diverses. Certaines sont divorcées, d'autres veuves. On compte aussi quelques cantatrices ou virtuoses, et quelques-unes que leur mari vient voir
une fois de temps en temps. Les raisons qu'elles
ont pour être ici les regardent, n'est-ce pas?
C'est parfois une raison politique, ou une raison
financière, parfois aussi une raison de santé. Il
y a des altesses royales et des personnes non titrées, des veuves richissimes et des femmes qui
n'ont que des rentes modestes.

Il disait tout cela un peu à la façon d'un guide, avec un sourire léger, qui teintait ses paroles d'humour.

— Toutes, soit par leur nom, par leur fortune, ou autrement, ont pour caractéristique d'être des personnes importantes, des V.I.P., comme je disais. Et cela forme des groupes. Pas un club. Une série de groupes plus ou moins amis ou ennemis. Quelques-unes habitent à l'année le Lausanne-Palace, que vous avez vu. Les plus riches ont une villa à Ouchy, un château dans les environs. Elles se reçoivent pour le thé, se retrouvent dans les concerts... Mais n'est-ce pas la même chose à Paris?... La différence, je le répète, c'est qu'ici on les remarque davantage... Nous avons des hommes aussi, venus d'un peu partout, qui ont décidé de vivre toute l'année ou une partie de l'année en Suisse... Tenez, pour parler à nouveau du Lausanne-Palace, il s'y trouve actuellement une vingtaine de personnes de la famille du Roi Séoud... Ajoutez les délégués aux conférences internationales, Unesco et autres, qui ont lieu dans notre pays, et vous comprendrez que nous avons du travail... Je pense que notre police, encore que discrète, est assez bien faite... Si je peux vous être utile...

Maigret avait peu à peu le même sourire que son interlocuteur. Il comprenait que, si l'hospitalité suisse était large, la police n'en était pas moins fort au courant des faits et gestes de toutes ces personnalités en vue.

Ce qu'on venait de lui dire, en somme, c'était :

— Si vous avez des questions à poser...

Il murmura :

— Il paraît que Ward s'entendait parfaitement avec ses anciennes femmes...

— De quoi leur en aurait-il voulu? C'était lui qui les quittait quand il en avait assez.

— Il se montrait généreux?

— Pas à l'excès. Il leur donnait de quoi vivre avec dignité, mais ce n'était pas la fortune.

— Quelle femme est Muriel Halligan?

— Une Américaine.

Et ce mot-là, dans sa bouche, prenait tout son sens.

— J'ignore pourquoi le colonel a choisi de demander le divorce en Suisse... A moins qu'il ait eu d'autres raisons de se domicilier ici... Toujours est-il qu'il y a deux ans que traî ie la procédure... Muriel a choisi les deux meill'urs avocats du pays et elle doit savoir ce que cela lui coûte... Elle soutient la thèse, admise, paraît-il, par certains tribunaux américains, que, du moment que son mari l'a habituée à un certain train de vie, il doit lui assurer le même train de vie jusqu'à la fin de ses jours...

— Le colonel ne s'est pas laissé faire?

— Il a d'excellents avocats, lui aussi. Le bruit a couru trois ou quatre fois qu'un accord était intervenu, mais je ne pense pas que les derniers papiers soient signés...

— Je suppose que, tant que dure le procès, la femme se garde des aventures?

Le policier lausannois remplit les verres avec une lenteur voulue, comme s'il tenait à peser ses mots.

— Des aventures, non... Ces dames du club

en général, n'ont pas d'histoires voyantes... Vous avez rencontré John T. Arnold, je suppose?

— Il a été le premier à se précipiter au George V.

— Il est célibataire, dit laconiquement le policier.

— Et...?

— Pendant un certain temps, on a chuchoté qu'il avait des goûts spéciaux. Je sais, par le personnel des hôtels où il descend, qu'il n'en est rien.

— Que savez-vous d'autre?

— Il était très lié, presque depuis toujours, avec le colonel. C'était à la fois son confident, son secrétaire, son homme d'affaires... En dehors de ses femmes légitimes, le colonel a toujours eu des aventures plus ou moins brèves, plus souvent brèves, voire d'une nuit ou d'une heure... Comme il avait la paresse de faire sa cour aux femmes, et comme, dans sa situation, il trouvait délicat d'adresser des propositions à une danseuse de cabaret, par exemple, ou à une vendeuse de fleurs, John T. Arnold s'en chargeait...

— Je comprends.

— Alors, vous devinez le reste. Arnold prenait sa commission en nature... On prétend, sans que j'en aie la preuve formelle, qu'il la prenait avec les femmes légitimes de Ward aussi.

— Muriel?

— Il est venu deux fois seul à Lausanne pour la voir. Mais rien ne prouve qu'il n'était pas chargé d'une mission de Ward...

— La comtesse?

— Certainement! Lui et d'autres. Lorsqu'elle

a bu assez de champagne, elle éprouve souvent
le besoin de s'épancher dans le sein d'un compagnon...

— Ward le savait?

— Je n'ai pas beaucoup approché le colonel
Ward. Vous oubliez que je ne suis qu'un policier...

Ils souriaient tous les deux. C'était une curieuse conversation, à mi-mots, avec pour eux,
plein de sous-entendus.

— A mon avis, Ward savait beaucoup de choses, mais n'en était pas très touché... Vous avez
rencontré, à Monte-Carlo, je l'ai appris par les
journaux de ce matin, M. Van Meulen, qui est
un de nos clients aussi... Tous les deux, qui
étaient grands amis, ont beaucoup vécu, et ils
ne demandaient pas aux gens, aux femmes en
particulier, plus que ce qu'elles pouvaient leur
donner... Ils étaient à peu près du même calibre,
à la différence que Van Meulen, plus froid, se
contrôle davantage, tandis que le colonel se laissait aller à boire... Je suppose que vous prendrez
du café?

Maigret devait garder longtemps le souvenir de
ce déjeuner dans le petit restaurant qui lui rappelait une guinguette des bords de la Marne, mais
avec la gravité suisse, moins de piquant peut-
être, plus de réelle intimité.

— La comtesse prend le même avion que vous?

— Je le lui ai interdit.

— Cela dépendra de ce qu'elle boira d'ici
quatre heures. Vous désirez qu'elle ne le prenne
pas?

— Elle est assez voyante et encombrante...

— Elle ne le prendra pas, promit le chef. Cela vous ennuierait-il fort de passer quelques minutes dans nos bureaux? Mes hommes ont une telle envie de faire votre connaissance...

On lui fit les honneurs des locaux de la Sûreté, dans un immeuble neuf, au même étage qu'une banque privée et juste en dessous d'un coiffeur pour dames. Maigret serra des mains, sourit, répéta dix fois les mêmes paroles gentilles et le petit vin vaudois l'imprégnait de bien-être.

— Maintenant, il est temps que je vous mette en voiture. Si vous tardez, on sera obligé de faire marcher la sirène tout le long du chemin...

Il retrouva l'atmosphère des aérogares, les appels du haut-parleur, les bars avec des pilotes en uniforme et des hôtesses de l'air buvant un café en hâte.

Puis ce fut l'avion, des montagnes moins hautes que le matin, des prés et des fermes qu'on apercevait entre deux nuages.

Lapointe l'attendait à Orly avec une des autos noires de la P.J.

— Vous avez fait bon voyage, patron?

Il retrouvait la banlieue, le Paris d'une belle fin d'après-midi.

— Il n'a pas plu?

— Pas une goutte. J'ai cru bien faire en venant vous chercher.

— Du nouveau?

— Je ne suis pas au courant de tout. C'est Lucas qui centralise les informations. Je suis allé voir une partie du personnel de nuit, ce qui m'a obligé à accumuler les kilomètres car la plupart de ces gens-là habitent la banlieue.

— Qu'as-tu appris?

— Rien de précis. J'ai essayé d'établir un schéma, avec les heures d'entrée et de sortie de chacun. C'est difficile. Il paraît qu'il y a trois cent dix clients à l'hôtel, que tout ce monde va et vient, téléphone, sonne le garçon ou la femme de chambre, appelle un taxi, un chasseur, la manucure, que sais-je? En outre, le personnel craint de trop parler. La plupart répondent évasivement...

Tout en conduisant, il tira un papier de sa poche et le passa à Maigret.

« *8 heures du soir.* — La femme de chambre du troisième pénètre au 332, l'appartement de la comtesse, et trouve celle-ci, en peignoir, occupée à se faire manucurer.

» — C'est pour la couverture, Annette?

» — Oui, madame la comtesse.

» — Revenez dans une demi-heure, voulez-vous?

» *8 heures 10.* — Le colonel Ward est au bar de l'hôtel en compagnie de John T. Arnold. Le colonel regarda sa montre, quitta son compagnon et monta dans son appartement. Arnold commande un sandwich.

» *8 heures 22.* — Le colonel demande, de son appartement, une communication avec Cambridge et parle pendant une dizaine de minutes à son fils. Il paraît qu'il lui téléphonait ainsi deux fois par semaine, toujours vers la même heure.

» *8 heures 30 environ.* — Au bar, Arnold entre dans la cabine téléphonique. Il doit avoir une communication avec Paris, car elle n'est pas enregistrée par la standardiste.

» *8 heures 45.* — Le colonel, du 347, appelle par téléphone le 332, sans doute pour savoir si la comtesse est prête.

» *9 heures environ.* — Le colonel et la comtesse sortent de l'ascenseur, déposent leur clef en passant. Le portier leur appelle un taxi. Ward donne l'adresse d'un restaurant de la Madeleine. »

Lapointe suivait des yeux la progression de la lecture.

— Je suis allé au restaurant, expliqua-t-il. Rien à signaler. Ils y dînent souvent et on leur donne toujours la même table. Trois ou quatre personnes sont venues serrer la main du colonel. Le couple n'a pas paru se disputer. Pendant que la comtesse mangeait son dessert, le colonel, qui n'en prend jamais, a allumé un cigare et parcouru les journaux du soir.

» *11 heures et demie environ.* — Le couple arrive au Monseigneur. »

— Là aussi, disait Lapointe, ce sont des habitués, et il y a un air que l'orchestre tzigane joue automatiquement dès que la comtesse paraît. Champagne et whisky. Le colonel ne danse jamais.

Maigret imagina le colonel, d'abord au restaurant, où il profitait de ce qu'il ne mangeait pas de dessert pour lire son journal, puis sur la banquette de velours rouge au Monseigneur. Il ne dansait pas, ne flirtait pas non plus, car il connaissait sa compagne depuis longtemps. Les musiciens venaient jouer à sa table.

— *Là aussi*, avait dit Lapointe, *ce sont des habitués...*

Trois soirs, quatre soirs par semaine? Et, ailleurs, à Londres, à Cannes, à Rome, à Lausanne, il fréquentait des cabarets presque identiques, où l'on devait jouer le même air à l'entrée de la comtesse et où il ne dansait pas non plus.

Il avait un grand fils de seize ans, à Cambridge, à qui il téléphonait quelques minutes tous les trois jours, une fille, en Suisse, à qui, sans doute, il téléphonait aussi.

Il avait trois femmes, la première, remariée, qui menait une existence semblable à la sienne, puis Alice Perrin, qui se partageait entre Londres et Paris, enfin Muriel Halligan, celle du club des dames seules.

Dans les rues, des gens qui quittaient leur travail se hâtaient vers les bouches de métro et les arrêts d'autobus.

— Nous y sommes, patron...

— Je sais...

La cour, qui commençait à être obscure, du quai des Orfèvres, l'escalier toujours grisâtre où les lampes étaient allumées.

Il n'alla pas chez Lucas tout de suite, entra dans son bureau, tourna le commutateur et prit sa place habituelle, le mémorandum de Lapointe devant lui.

« — *Minuit 15* — Ward est appelé au téléphone. Pas pu savoir d'où venait l'appel... »

Machinalement, eût-on dit, Maigret tendit la main vers son appareil.

— Passez-moi mon appartement... Allo!... C'est toi?... Je suis arrivé... Oui, je suis dans mon bureau... Je ne sais pas encore... Tout va bien... Mais non!... Je t'assure... Pourquoi serais-je triste?

Quelle raison avait sa femme de lui poser cette question? Il avait eu envie de reprendre contact avec elle, voilà tout.

« — *Minuit et demi environ* — Arrivée de Marco Paverini et d'Anna de Groot au Monseigneur. »

« (*Note* : Anna de Groot a quitté le George V dès sept heures du soir. Elle était seule. Elle a retrouvé Marco au Fouquet's, où ils ont dîné rapidement avant de se rendre au théâtre. Ni l'un ni l'autre en tenue de soirée. Au Fouquet's, comme au Monseigneur, on les connaît et on semble considérer leur liaison comme officielle.) »

Maigret se rendait compte du nombre d'allées et venues que ce rapport représentait, de la patience que Lapointe avait déployée pour obtenir des renseignements en apparence si peu importants.

» *Minuit 55* — Le barman du George V annonce aux cinq ou six clients qui restent qu'il va fermer. John T. Arnold commande un havane et entraîne dans le hall les trois hommes avec qui il jouait aux cartes.

« (*Note* : Je n'ai pas pu établir avec certitude si Arnold a quitté le bar au cours de la soirée. Le barman n'est pas catégorique. Jusqu'à dix heures du soir, toutes les tables ont été occupées, tous les tabourets. Il a aperçu alors Arnold, dans le coin gauche, près de la fenêtre, en compagnie de trois Américains récemment débarqués, dont un producteur de cinéma et l'agent d'un acteur. Ils jouaient au poker. Pas pu savoir non plus si Arnold les connaissait déjà ou s'il a fait leur connaissance ce soir-là au bar. Ils se sont servis de jetons mais, quand ils ont terminé, le barman a vu des dollars changer de mains. Il pense qu'ils jouaient gros jeu. Il ignore qui a gagné.)

» *Une heure 10* — Le garçon est appelé dans le petit salon empire qui se trouve au fond du hall et on lui demande s'il est encore possible d'avoir des consommations. Il répond que oui et on lui commande une bouteille de whisky, du soda et quatre verres. Les quatre clients du bar ont trouvé cet endroit pour continuer leur partie.

» *Une heure 55* — Entrant dans le salon empire, le garçon n'y trouve plus personne. La bouteille est presque vide, les jetons sur la table, des mégots de cigare dans le cendrier.

»(Questionné le concierge de nuit à ce sujet. Le producteur s'appelle Mark P. Jones et accompagne en France un célèbre comique américain qui doit tourner un film ou des séquences d'un film dans le Midi. Art Levinson est l'agent de la vedette. Le troisième joueur est inconnu du concierge. Il l'a aperçu plusieurs fois dans le hall, mais ce n'est pas un client de l'hôtel. Il croit l'avoir vu sortir cette nuit-là vers deux heures du matin. Je lui ai demandé si Arnold l'accompagnait. Il ne peut répondre ni oui ni non. Il était au téléphone, une cliente du cinquième étage se plaignant du tapage que faisaient ses voisins. Il est monté lui-même pour aller prier diplomatiquement le couple en question d'être moins exubérant.) »

Maigret se renversa sur sa chaise, bourra lentement sa pipe en regardant la grisaille du soir au-delà des fenêtres.

» *2 heures 5 environ* — Le colonel et la com-

tesse quittent le Monseigneur, prennent un taxi
en stationnement devant le cabaret et se font
conduire au George V. Retrouvé facilement le
taxi. Le couple n'a pas prononcé un mot pendant le parcours.

» *2 heures et quart* — Arrivée au George V.
Chacun prend ses clefs des mains du concierge.
Le colonel demande s'il n'y a pas de message
pour lui. Il n'y en a pas. Conciliabule au pied de
l'ascenseur, qui met un certain temps à descendre.
Ils n'ont pas l'air de se disputer.

»*Deux heures dix-huit* — Le garçon d'étage est
appelé au 332. Le colonel dans un fauteuil, l'air
fatigué, comme d'habitude à cette heure-là. La
comtesse, en face de lui, occupée à retirer ses
chaussures et à se masser les pieds. Elle commande une bouteille de champagne et une bouteille de whisky.

»*Trois heures environ* — Retour d'Anna de
Groot, accompagnée par le comte Mario Palmieri.
Enjoués et tendres mais discrets. Elle est un peu
plus animée que lui, sans doute par le champagne.
Entre eux, ils conversent en anglais, bien que
tous les deux parlent couramment le français,
la Hollandaise avec un assez fort accent. Ascenseur. Quelques instants plus tard, ils sonnent
pour demander de l'eau minérale.

» *Trois heures 35* — On décroche l'appareil du
332. La comtesse dit à la téléphoniste qu'elle se
sent mourir et réclame un médecin. La téléphoniste appelle d'abord l'infirmière, puis téléphone
au docteur Frère. »

Maigret parcourut plus rapidement la suite, se
leva, ouvrit la porte du bureau des inspecteurs

et trouva Lucas au téléphone, près de sa lampe
à abat-jour vert.

— Je ne comprends pas, criait Lucas, l'air
excédé... Puisque je vous dis que je ne comprends
pas un mot de ce que vous racontez... Je ne sais
même pas quelle langue vous parlez... Mais non,
je n'ai pas d'interprète sous la main...

Il raccrocha, s'essuya le front.

— Si j'ai bien entendu, c'est un appel de Co-
penhague. J'ignore si on m'a parlé allemand ou
danois... Cela n'arrête pas depuis le matin... Tout
le monde réclame des détails...

Il se leva confus.

— Excusez-moi. Je ne vous ai même pas demandé si vous avez fait bon voyage... Au fait,
j'ai eu un coup de téléphone pour vous de Lausanne... Pour dire que la comtesse prendra le
train de nuit et arrivera à Paris à sept heures du
matin...

— C'est elle qui a appelé?

— Non. La personne avec qui vous avez déjeuné.

C'était gentil et Maigret apprécia la délicatesse
du procédé. Un coup de main discret... Le chef
de la police n'avait pas dit son nom. Il est vrai
que Maigret, qui n'avait pas conservé sa carte,
l'avait déjà oublié.

— Qu'est-ce qu'Arnold a fait aujourd'hui?
questionna le commissaire.

— D'abord, ce matin, il s'est rendu dans un
hôtel du Faubourg Saint-Honoré, Le Bristol, où
est descendu Philps, le sollicitor anglais...

Celui-là n'était pas descendu au George V,
trop international à son gré, ni au Scribe, trop

français, mais il avait choisi de s'installer en face
de l'ambassade britannique, comme s'il tenait à
ne pas se sentir trop loin de son pays.

— Ils sont restés une heure en conférence,
puis se sont rendus dans une banque américaine
de l'avenue de l'Opéra, ensuite dans une banque
anglaise de la place Vendôme et, dans les deux,
ils ont été reçus aussitôt par le directeur. Ils y
sont restés assez longtemps. A midi juste, ils se
sont quittés sur le trottoir de la place Vendôme et
le sollicitor a pris un taxi pour se faire recon-
duire à son hôtel, où il a déjeuné seul.

— Arnold?

— Il a traversé les Tuileries à pied, sans se
presser, en homme qui a tout le temps devant
lui, regardant parfois sa montre pour s'en assurer. Il a même farfouillé un peu dans les boîtes
des quais, feuilletant de vieux livres et regardant des gravures, pour se présenter, à une heure
moins le quart, à l'Hôtel des Grands Augustins...
Il a attendu au bar, en buvant un martini et en
jetant un coup d'oeil aux journaux. La troisième
femme de Ward n'a pas tardé à le rejoindre...

— Muriel Halligan?

— Oui... Elle a l'habitude de descendre à cet
hôtel-là. Il paraît qu'elle est arrivée à Orly vers
onze heures et demie, qu'elle a ensuite pris un
bain, s'est reposée une demi-heure avant de se
rendre au bar...

— Elle a téléphoné?

— Non...

C'est donc de Lausanne, avant de partir, qu'elle
avait donné rendez-vous à Arnold.

— Ils ont déjeuné ensemble?

— Dans un petit restaurant qui a l'air d'un bistrot, mais qui est très cher, rue Jacob... Torrence, qui y était entré derrière eux, prétend qu'on y mange à merveille, mais que l'addition est salée... Ils ont bavardé calmement, comme de vieux amis, à voix trop basse pour que Torrence entende quoi que ce soit... Arnold l'a ensuite reconduite à l'hôtel et a pris un taxi pour rejoindre M. Philps. Au Bristol, le téléphone n'arrête pas, avec Londres, Cambridge, Amsterdam, Lausanne... Ils ont reçu aussi plusieurs personnes dans l'appartement, entre autres un notaire parisien, M. Demonteau, qui est resté plus longtemps que les autres. Il y a un groupe de journalistes dans le hall. Ils attendent de savoir quand auront lieu les obsèques, si ce sera à Paris, à Londres ou à Lausanne... on dit en effet que c'est à Lausanne que Ward avait son domicile officiel... Ils sont curieux aussi de connaître le testament, mais jusqu'ici ils n'ont pas obtenu le moindre renseignement... Enfin, les reporters affirment qu'on attend les deux enfants de Ward d'un moment à l'autre... Vous avez l'air fatigué, patron...

— Non... Je ne sais pas...

Il était plus mou que d'habitude et, à vrai dire, il aurait été en peine de dire à quoi il pensait. Le même phénomène se produisait qu'après une traversée en bateau : il avait encore le mouvement de l'avion dans le corps et des images se bousculaient dans sa tête. Tout cela avait été trop vite. Trop de gens, trop de choses coup sur coup. Joseph Van Meulen, nu sur son lit, entre les mains de son masseur, puis le quittant;

dans le hall de l'Hôtel de Paris, pour se rendre,
en smoking, au gala du Sporting... La petite
comtesse avec son visage fripé, des creux aux
ailes du nez, ses mains que l'alcool faisait trem-
bler... Puis ce blond chef de la sûreté lausan-
noise... comment s'appelait-il donc?... qui lui
servait du vin très clair, très frais, avec un sourire franc, teinté, d'une légère ironie à l'égard des
gens dont il parlait... Le club des dames seules...

Maintenant, il y avait en plus les quatre hommes jouant au poker, dans le bar, puis dans le
salon empire...

Et M. Philps, dans son hôtel anglais, en face
de l'ambassade britannique, les directeurs de
banques qui s'empressaient... Conférences, coups
de téléphone, M. Demonteau, notaire, les journalistes dans le hall du Faubourg Saint-Honoré
et à la porte du George V où il n'y avait pourtant plus rien à voir...

Un jeune garçon, à Cambridge, qui allait sans
doute être un milliardaire à son tour, apprenait
soudain que son père, qui lui avait téléphoné
la veille d'un hôtel du continent, était mort.

Et une jeune fille, une gamine de quatorze
ans, que ses camarades d'école enviaient peut-
être parce qu'elle faisait ses valises pour aller à
l'enterrement de son père...

A cette heure-ci, la petite comtesse devait être
ivre, mais elle n'en prendrait pas moins le train
de nuit. Il lui suffisait, à chaque défaillance, de
boire un coup de plus pour se remonter. Jusqu'à
ce qu'elle tombe.

— On dirait que vous avez une idée, patron?
— Moi?

Il haussa les épaules, comme un homme désenchanté. Et ce fut son tour de poser une question.

— Tu es très fatigué?

— Pas trop.

— Dans ce cas, allons dîner tranquillement tous les deux à la Brasserie Dauphine...

Ils n'y trouveraient ni la clientèle du George V, ni celle des avions, de Monte-Carlo ou de Lausanne. Une lourde odeur de cuisine, comme dans les auberges de campagne. La mère à son fourneau, le père derrière le comptoir d'étain, la fille aidant le garçon à servir.

— Et après?

— Après, je veux tout recommencer, comme si je ne savais rien, comme si je ne connaissais pas ces gens-là...

— Je vais avec vous?

— Ce n'est pas la peine... Pour faire ce métier-là, j'aime autant être seul...

Lucas savait ce que cela signifiait. Maigret allait rôder avenue George V, maussade, tirant de petits coups sur sa pipe, jetant des coups d'oeil à gauche et à droite, s'asseyant ici ou là et se relevant presque tout de suite comme s'il ne savait que faire de son grand corps.

Personne, pas même lui, ne pouvait dire le temps que cela durerait et, sur le moment, cela n'avait rien d'agréable.

Quelqu'un qui l'avait vu ainsi un jour avait remarqué peu respectueusement :

— Il a l'air d'une grosse bête malade !

7

Où non seulement Maigret se sent indésirable,
mais où on le regarde avec suspicion.

Il PRIT LE METRO,
car il avait tout le temps et il ne comptait guère
circuler cette nuit-là. On aurait dit qu'il l'avait
fait exprès de trop manger, pour se sentir encore
plus lourd. Quand il avait quitté Lucas, place
Dauphine, celui-ci avait eu une hésitation, avait
ouvert la bouche pour dire quelque chose et le
commissaire l'avait regardé comme quelqu'un qui
attend.

— Non... Rien... avait décidé Lucas.

— Dis-le...

— J'ai failli vous demander si c'était la peine
que j'aille me coucher...

Parce que, quand le patron était de cette hu-
meur-là, cela indiquait généralement qu'il ne se
passerait plus beaucoup de temps avant que le

dernier acte se joue entre les quatre murs de son bureau.

Comme par hasard, cela se passait presque toujours la nuit, avec le reste du bâtiment dans l'obscurité, et ils étaient parfois plusieurs à se relayer auprès du personnage, homme ou femme, qui entrait au quai des Orfèvres comme simple suspect pour en sortir, après un temps plus ou moins long, les menottes aux poignets.

Maigret comprit l'arrière-pensée de Lucas. Sans être superstitieux, il n'aimait pas anticiper sur les événements et, dans ce moment-là, il n'avait jamais confiance en lui.

— Va te coucher.

Il n'avait pas chaud. Il était parti de chez lui, la veille au matin, sûr de rentrer à midi boulevard Richard-Lenoir pour déjeuner. La veille, seulement? Il lui semblait qu'il y avait beaucoup plus longtemps que tout cela avait commencé.

Il sortit de terre aux Champs-Elysées alors que l'avenue jetait tous ses feux et l'arrière-saison était assez douce pour qu'il y ait encore foule aux terrasses. Les mains dans les poches de son veston, il prit l'avenue George V où, en face de l'hôtel, un géant en uniforme lui jeta un coup d'oeil surpris en le voyant pousser la porte tournante.

C'était le portier de nuit. La veille, Maigret avait vu le personnel de jour. Le portier se demandait évidemment ce que cet homme au visage grognon, au complet fripé par le voyage, qui n'était pas un client de l'hôtel, venait faire.

Il y eut la même curiosité, la même surprise de la part du chasseur en faction de l'autre

côté de la porte tournante et il fut sur le point
de lui demander ce qu'il désirait.

Une vingtaine de personnes étaient éparpillées
dans le hall, la plupart en smoking ou en robe du
soir, on voyait des visons, des diamants, on passait, en s'avançant, d'un parfum à un autre.

Comme le chasseur ne le quittait pas des yeux,
prêt à le suivre et à l'interpeller s'il s'aventurait
trop loin. Maigret préféra se diriger vers la réception où les employés en jaquette noire lui
étaient inconnus.

— M. Gilles est dans son bureau?

— Il est chez lui. Vous désirez?

Il avait souvent remarqué, dans les hôtels, que
le personnel de nuit est moins aimable que celui
de jour. On dirait, presque toujours, que c'est
un personnel de seconde classe qui en veut au
monde entier de l'obliger à vivre à rebrousse-
poil, de travailler pendant que les autres dorment.

— Commissaire Maigret... murmura-t-il.

— Vous désirez monter là-haut?

— J'y monterai probablement... Je veux seulement vous prévenir que je compte aller et venir
dans l'hôtel pendant un certain temps... Ne craignez rien... Je serai aussi discret que possible...

— Les clefs du 332 et du 347 ne sont plus
chez le concierge... Je les ai ici... On a laissé
les appartements dans l'état où ils étaient, sur
la demande du juge d'instruction...

— Je sais...

Il fourra les clefs dans sa poche et, embarrassé
de son chapeau, chercha un endroit où le mettre
le posa enfin sur un fauteuil, s'assit dans un

autre comme d'autres personnes qui, dans le hall, attendaient quelqu'un.

De sa place, il vit l'homme de la réception saisir le téléphone et comprit que c'était pour mettre le directeur au courant de sa visite. Quelques instants plus tard, il en avait la preuve, car l'employé en jaquette venait vers lui.

— J'ai eu M. Gilles au bout du fil. Je donne des instructions au personnel pour qu'on vous laisse circuler à votre guise. M. Gilles se permet toutefois de vous recommander...

— Je sais ! Je sais... M. Gilles habite l'hôtel ?

— Non. Il a une villa à Sèvres...

Pour questionner le concierge de nuit, Lapointe avait dû aller à Joinville. Le barman, Maigret le savait, habitait encore plus loin de Paris, dans la vallée de Chevreuse, et il prenait lui-même soin d'un assez grand potager, élevait des poules et des canards.

N'était-ce pas paradoxal ? Les clients payaient des prix astronomiques pour dormir à deux pas des Champs-Elysées et le personnel, ceux, en tout cas, qui pouvaient s'offrir ce vrai luxe, s'enfuyaient vers la campagne dès le travail terminé.

Les groupes debout, surtout les groupes en tenue du soir, étaient des gens qui n'avaient pas encore dîné, qui attendaient d'être au complet pour se rendre au Maxim's, à la Tour d'Argent ou dans un autre restaurant de même classe. Il y en avait au bar aussi, qui prenaient un dernier cocktail avant de commencer ce qui représentait pour eux la partie la plus importante de la journée : le dîner et l'après-dîner.

Les choses devaient se passer de la même façon l'avant-veille, avec une figuration identique. La fleuriste, dans son box, préparait des boutonnières. Le préposé aux théâtres remettait des billets aux retardataires. Le concierge disait où aller à ceux qui ne le savaient pas encore.

Maigret avait bu un calvados après son dîner, exprès, par esprit de contradiction, parce qu'il allait se replonger dans un monde où on ne boit guère de calvados, encore moins de marc. Whisky, champagne, fine Napoléon.

Un groupe de Sud-Américains accueillit avec des bravos une jeune femme en manteau de vison couleur paille qui jaillissait, affairée, d'un des ascenseurs et réussissait une entrée de vedette.

Etait-elle jolie? De la petite comtesse aussi on disait qu'elle était étonnante et Maigret l'avait vue de près, démaquillée, l'avait même surprise buvant le whisky au goulot comme une pocharde des quais s'envoie un grand coup de rouge.

Pourquoi, depuis quelques instants, avait-il la sensation de vivre dans un bateau? L'atmosphère du hall lui rappelait son voyage aux Etats-Unis où un milliardaire américain — encore un milliardaire! — l'avait supplié de venir débrouiller une affaire. Il se souvenait des confidences du commissaire de bord, une nuit qu'ils étaient restés les derniers dans le salon, après les jeux assez puérils qu'on y avait organisés.

— Savez-vous, commissaire, qu'en première classe on compte trois personnes pour servir un seul passager?

Sur les ponts, en effet, dans les salons, dans les coursives, on rencontrait tous les vingt mètres un membre du personnel, en veste blanche ou en uniforme, prêt à vous rendre un service quelconque.

Ici aussi. Dans les chambres, il y avait trois boutons : maître d'hôtel, femme de chambre, valet de chambre, avec, à côté de chaque bouton — est-ce que tous les clients ne savaient pas lire? — la silhouette du serviteur correspondant.

A la porte, dans la lumière jaunâtre du trottoir, deux ou trois portiers et voituriers, sans compter les porteurs de bagages en tablier vert, se tenaient au garde-à-vous comme à l'entrée d'une caserne et, dans tous les coins, d'autres hommes en uniforme attendaient, très droits, le regard vague.

— Vous le croirez si vous voulez, avait poursuivi le commissaire de bord, le plus difficile, sur un bateau, ce n'est pas de faire marcher les machines, de diriger la manoeuvre, de naviguer par gros temps, d'arriver à l'heure dite à New-York ou au Havre. Ce n'est pas non plus de nourrir une population égale à celle d'une sous-préfecture, ni d'entretenir les chambres, les salons, les salles-à-manger. Ce qui nous donne le plus de souci, c'est...

Il avait pris un temps.

— C'est d'amuser les passagers. Il faut les occuper depuis le moment où ils se lèvent jusqu'au moment où ils se couchent, et certains ne se couchent pas avant l'aube...

C'est pourquoi, le petit déjeuner à peine terminé, on servait du bouillon sur le pont. Puis commençaient les jeux, les cocktails... Ensuite

le caviar, le foie-gras, le canneton à l'orange et
les omelettes flambées...

— Ce sont, pour la plupart, des gens qui ont
tout vu, qui se sont amusés de toutes les façons
imaginables, et pourtant il nous faut coûte que
coûte...

Pour ne pas s'assoupir, Maigret se leva, partit
à la recherche du salon empire qu'il finit par
découvrir, peu éclairé, solennel et vide à cette
heure, à l'exception d'un vieux monsieur en smoking, aux cheveux blancs, qui dormait dans un
fauteuil, la bouche ouverte, un cigare éteint
entre les doigts. Plus loin, il aperçut la salle-à-
manger et le maître d'hôtel qui montait la garde
à la porte le détailla des pieds à la tête. Il ne lui
proposa pas une table. Avait-il compris qu'il
n'était pas un vrai client ?

Malgré sa mine réprobatrice, Maigret jetait
un coup d'oeil dans la salle où, sous les lustres,
une dizaine de tables étaient occupées.

Une idée, peu originale, d'ailleurs, se faisait
jour dans son esprit. Il passait devant un ascenseur à côté duquel était planté un jeune homme
blond en livrée olive. Ce n'était pas l'ascenseur
qu'il avait pris avec le directeur la veille, au matin. Et il en découvrit un troisième ailleurs.

On le suivait des yeux. Le chef de la réception
n'avait pas dû avoir le temps d'alerter tout le
personnel et sans doute s'était-il contenté de
mettre les chefs de service au courant de sa présence.

On ne lui demandait pas ce qu'il voulait, ce
qu'il cherchait, où il allait, mais il ne quittait

le champ d'un regard méfiant que pour entrer dans un autre secteur tout aussi surveillé.

Sa petite idée... Ce n'était pas encore précis, et pourtant il avait l'impression de faire une découverte importante. C'était ceci, en résumé : ces gens-là — et il englobait les clients du George V, ceux de Monte-Carlo, et de Lausanne, les Ward, les Van Meulen, les comtesse Palmieri, tous ceux qui mènent ce genre d'existence — ces gens-là ne se sentiraient-ils pas perdus, comme désarmés, tout nus, en quelque sorte, aussi impuissants, maladroits, fragiles que des bébés, si tout à coup ils étaient plongés dans la vie ordinaire?

Pourraient-ils jouer des coudes pour prendre le métro, consulter un horaire des chemins de fer, demander leur billet au guichet, porter une valise?

Ici, de l'instant où ils quittaient leur appartement jusqu'à celui où ils s'installaient dans un appartement tout pareil de New York, de Londres ou de Lausanne, ils n'avaient pas à se soucier de leurs bagages, qui passaient de main en main, comme à leur insu, et ils retrouvaient leurs affaires à leur place dans les meubles... Eux-mêmes passaient de main en main...

Qu'est-ce que Van Meulen avait dit d'un *intérêt suffisant?* Quelqu'un qui a un intérêt suffisant pour tuer...

Maigret découvrait qu'il ne s'agit pas nécessairement d'une somme plus ou moins forte. Il commençait même à comprendre les divorcées américaines qui exigent de mener leur vie durant le genre d'existence auquel leur ex-mari les a habituées.

Il voyait mal la petite comtesse entrer dans un bistrot, commander un café-crème et manier un téléphone automatique.

C'était le petit côté de la question, certes... Mais les petits côtés ne sont-ils pas souvent les plus importants... Est-ce que, dans un appartement, la Palmieri serait capable de régler le chauffage central, d'allumer le réchaud à gaz dans la cuisine, de se préparer des oeufs à la coque?

Sa pensée était plus compliquée que ça, si compliquée qu'elle manquait de netteté.

Combien étaient-ils, de par le monde, à aller d'un endroit à un autre, sûrs de retrouver partout la même ambiance, les mêmes soins empressés, les mêmes gens, pour ainsi dire, qui s'occupaient à leur place des menus détails de l'existence?

Quelques milliers, sans doute. Le commissaire de bord du *Liberté* lui avait encore dit :

— On ne peut rien inventer de neuf pour les distraire, car ils tiennent à leurs habitudes...

Comme ils tenaient au décor. Un décor identique, à quelques détails près. Etait-ce un moyen de se rassurer, de se donner l'illusion d'être chez eux? Jusqu'à la place des miroirs, dans les chambres à coucher, celle des porte-cravates, qui était partout la même.

— Il est inutile d'entrer dans notre profession si on n'a pas la mémoire des physionomies et des noms...

Ce n'était pas le commissaire de bord qui avait

parlé ainsi, mais un concierge d'hôtel, aux
Champs-Elysées, où Maigret enquêtait vingt ans
auparavant.

— Les clients exigent qu'on les reconnaisse,
même s'ils ne sont venus qu'une fois...

Cela aussi, probablement, les rassurait. Petit
à petit, Maigret se sentait moins sévère à leur
égard. On aurait dit qu'ils avaient peur de quelque chose, peur d'eux-mêmes, de la réalité, de la
solitude. Ils tournaient en rond dans un petit
nombre d'endroits, où ils étaient sûrs de recevoir les mêmes soins et les mêmes égards, de manger les mêmes plats, de boire le même champagne
ou le même whisky.

Cela ne les amusait peut-être pas mais, une
fois le pli acquis, *ils auraient été incapables de
vivre autrement.*

Est-ce que c'était une *raison suffisante?* Maigret commençait à le penser et, du coup, la mort
du colonel Ward prenait un nouvel aspect.

Quelqu'un, dans son entourage, s'était trouvé,
ou s'était cru menacé, d'avoir soudain à vivre
comme tout le monde et n'en avait pas eu le
courage.

Encore fallait-il que la disparition de Ward
permette à ce quelqu'un-là de continuer à mener l'existence à laquelle il ne pouvait renoncer.

On ne savait rien du testament. Maigret ignorait entre les mains de quel notaire ou sollicitor
il se trouvait. John T. Arnold laissait entendre
qu'il y avait peut-être plusieurs testaments, entre
des mains différentes.

Le commissaire ne perdait-il pas son temps à
rôder ainsi dans les couloirs du George V et le

plus sage n'était-il pas d'aller se coucher et d'attendre?

Il entra au bar. Le barman de nuit ne le connaissait pas non plus, mais un des garçons le reconnut d'après ses photographies et parla bas à son chef. Celui-ci fronça les sourcils. Cela ne le flattait pas de servir le commissaire Maigret et cela semblait plutôt l'inquiéter.

Il y avait beaucoup de monde, beaucoup de fumée de cigares et de cigarettes, une seule pipe en dehors de celle du commissaire.

— Vous désirez?

— Vous avez du calvados?

Il n'en voyait pas sur l'étagère, où s'alignaient toutes les marques de whisky. Le barman en dénicha pourtant une bouteille, saisit un immense verre à dégustation en forme de ballon comme si, ici, on ne connaissait pas d'autres verres pour les alcools.

On parlait surtout l'anglais. Maigret reconnut une femme, une étole de vison négligemment jetée sur les épaules, qui avait eu affaire au Quai des Orfèvres à l'époque où, à Montmartre elle travaillait pour le compte d'un petit souteneur corse.

Il y avait deux ans de cela. Elle n'avait pas perdu de temps, car elle portait un diamant au doigt, un bracelet de diamants autour du poignet. Elle condescendit pourtant à reconnaître le policier et à lui adresser un discret battement de paupières.

Trois hommes entouraient une table du fond, à gauche, près de la fenêtre voilée par des rideaux de soie, et Maigret demanda à tout hasard :

— Ce n'est pas Mark Jones, le producteur?

— Le petit gros, oui...

— Lequel est Art Levinson?

— Celui qui a les cheveux très bruns et des lunettes d'écaille.

— Et le troisième?

— Je l'ai vu plusieurs fois, mais je ne le connais pas.

Le barman répondait à contre-cœur, comme s'il répugnait à trahir ses clients.

— Je vous dois?

— Laissez...

— Je tiens à payer.

— Comme vous voudrez...

Sans utiliser l'ascenseur, il monta lentement jusqu'au troisième étage, faisant la remarque que peu de clients devaient fouler le tapis rouge des escaliers. Il rencontra une femme en noir, un cahier à la main, un crayon derrière l'oreille, qui était quelque chose dans la hiérarchie hôtelière. Il supposa que c'était elle qui, pour un certain nombre d'étages, dirigeait les femmes de chambre, distribuait les draps et les serviettes, car elle avait un trousseau de clefs à la ceinture.

Elle se retourna sur lui, sembla hésiter, et probablement signala-t-elle à la direction la présence d'un curieux individu dans les coulisses du George V

Car, sans le vouloir, il se trouvait tout à coup dans les coulisses. Il avait poussé la porte par laquelle la femme avait surgi et il découvrait un autre escalier, plus étroit, sans tapis. Les murs n'étaient plus aussi blancs. Une porte entr'ouverte laissait voir un réduit encombré de balais avec un gros tas de linge sale au milieu.

Il n'y avait personne. Personne non plus, à l'étage au-dessus, dans une autre pièce, plus spacieuse meublée d'une table et de chaises en bois blanc. Un plateau était sur la table, avec des assiettes, des os de côtelettes, de la sauce et quelques pommes de terre frites figées.

Au-dessus de la porte, il découvrit une sonnerie, trois ampoules électriques de couleurs différentes.

Il vit beaucoup de choses en une heure, rencontra quelques personnes, des garçons, des femmes de chambre, un valet qui cirait des souliers. La plupart le regardèrent avec surprise, le suivirent des yeux, méfiants. Mais, à part une exception, on ne lui adressa pas la parole.

Peut-être pensait-on que, s'il était là, c'est qu'il avait le droit d'y être? Ou bien, derrière son dos, s'empressait-on de téléphoner à la direction?

Il rencontra un ouvrier en salopette, des outils de plombier à la main, ce qui laissait supposer qu'il y avait des ennuis de tuyauterie quelque part. Celui-ci, après l'avoir regardé des pieds à la tête, la cigarette collée aux lèvres, demanda :

— Vous cherchez quelque chose?

— Non. Je vous remercie.

L'homme s'éloigna en haussant les épaules, se retourna, disparut enfin derrière une porte.

Peu curieux des deux appartements qu'il connaissait, Maigret monta plus haut que le troisième, se familiarisant avec les lieux. Il avait

6

appris à reconnaître les portes qui séparaient les couloirs aux murs impeccables, aux tapis épais, des coulisses moins luxueuses et des escaliers étroits.

Passant d'un côté à l'autre, apercevant ici un monte-plats, ailleurs un garçon endormi sur sa chaise, ou deux femmes de chambre occupées à se raconter leurs maladies, il finit par aboutir sur le toit, surpris de voir soudain les étoiles au-dessus de lui et le halo coloré des lumières des Champs-Elysées dans le ciel.

Il resta là un certain temps, vidant sa pipe, faisant le tour de la plate-forme, se penchant de temps en temps au-dessus de la balustrade, regardant les voitures glisser sans bruit dans l'avenue, s'arrêter devant l'hôtel et repartir avec leur plein de femmes richement habillées, de messieurs en noir et blanc.

En face, la rue François Ier était très éclairée et la pharmacie anglaise, au coin de la rue et de l'avenue George V, encore ouverte. Etait-elle de garde? Restait-elle ouverte tous les soirs? Avec la clientèle du George V et de l'hôtel voisin, le Prince de Galles, qui se dorlotait et vivait à contre-temps, la nuit davantage que le jour, elle devait faire d'excellentes affaires.

A gauche, la rue Christophe-Colomb, plus calme, n'était éclairée que par l'enseigne au néon rouge d'un restaurant ou d'une boîte de nuit, et de grosses voitures luisantes étaient assoupies tout le long des deux trottoirs.

Derrière, dans la rue Magellan, un bar, dans le genre bistrot pour chauffeurs qu'on voit dans les quartiers riches. Un homme en veste blanche traversait la rue et entrait, sans doute un garçon.

Maigret pensait au ralenti et il chercha un bon moment le chemin qui l'avait conduit sur le toit. Plus tard, il se perdit, surprit un maître d'hôtel qui mangeait les restes d'un plateau.

Quand il reparut au bar, il était onze heures et les consommateurs se faisaient plus rares. Les trois Américains qu'il avait aperçus plus tôt étaient toujours à leur place et, en compagnie d'un quatrième, Américain aussi, immense et maigre, jouaient au poker.

Les chaussures à hauts talons du quatrième intriguèrent un instant le commissaire, qui finit par découvrir qu'en réalité c'étaient des bottes de l'Ouest dont la tige aux cuirs de diverses couleurs était cachée par le pantalon. Un homme du Texas, ou de l'Arizona. Il était plus démonstratif que les autres, parlait d'une voix forte et on s'attendait à le voir tirer un revolver de sa ceinture.

Maigret finit par s'asseoir sur un tabouret et le barman lui demanda :

— La même chose ?

Il fit oui de la tête, questionna à son tour :

— Vous le connaissez ?

— Je ne sais pas son nom, mais c'est un propriétaire de puits de pétrole. Il paraît que les pompes marchent toutes seules et que cet homme-là, sans rien faire, gagne un million par jour.

— Il était ici avant-hier soir ?

— Non. Il est arrivé ce matin. Il repart demain pour Le Caire et l'Arabie, où il a des intérêts.

— Les trois autres y étaient?

— Oui.

— Avec Arnold?

— Attendez... Avant-hier... Oui... Un de vos inspecteurs m'a déjà questionné à ce sujet...

— Je sais... qui est le troisième, le plus blond?

— J'ignore son nom. Il n'est pas descendu à l'hôtel. Je crois qu'il est au Crillon et on m'a dit qu'il possède une chaîne de restaurants...

— Il parle le français?

— Ni lui ni les autres, sauf M. Levinson, qui a vécu à Paris quand il n'était pas encore l'agent d'une vedette de cinéma...

— Vous savez ce qu'il faisait?

Le barman haussa les épaules.

— Vous voudriez aller poser une question, de ma part, à celui qui est descendu au Crillon?

Le barman fit la grimace, n'osa pas dire non, demanda sans enthousiasme :

— Quelle question?

— J'aimerais savoir où, avant-hier, quand il a quitté l'Hôtel George V, il s'est séparé de M. Arnold.

Le barman s'avança vers la table des quatre joueurs, tout en préparant son sourire. Il se pencha vers le troisième homme, qui regarda curieusement dans la direction de Maigret, après quoi les trois autres l'imitèrent, venant d'apprendre qui il était. L'explication fut plus longue qu'on aurait pu s'y attendre.

Enfin, le barman revint, cependant que la partie reprenait dans le coin gauche.

— Il m'a demandé pourquoi vous aviez besoin de savoir ça et m'a fait remarquer que, dans son

pays, les choses ne se passent pas ainsi... Il ne
s'est pas souvenu tout de suite... Il avait beaucoup bu, avant-hier... Il en sera de même ce
soir à la fermeture... Ils ont continué la partie
dans le salon empire...

— Cela, je le sais...

— Il a perdu dix mille dollars, mais il est en
train de se rattraper...

— Arnold a gagné ?

— Je n'ai pas posé la question. Il croit se rap-
peler qu'ils se sont serré la main à la porte du
salon empire... Il m'a dit qu'il avait pensé
qu'Arnold, qu'il ne connait que depuis quelques
jours, habitait le George V.

Maigret ne réagit pas, il passa un bon quart
d'heure devant son verre, à observer vaguement
les joueurs. La fille qu'il avait reconnue n'était
plus là, mais il y en avait une autre, toute seule,
qui n'avait encore que de faux diamants et qui
semblait aussi intéressée que lui par la partie.

Maigret la désigna d'un coup d'oeil au barman.

— Je croyais que vous ne permettiez pas à ces
personnes-là...

— En principe. On fait exception pour deux
ou trois qu'on connait et qui savent se tenir...
C'est presque une nécessité... Autrement, les
clients vont ramasser dehors n'importe quoi et
vous ne pouvez imaginer les numéros qu'il leur
arrive de ramener...

Un instant, Maigret pensa... Mais non !...
D'abord on n'avait rien volé au colonel... En
outre, cela ne cadrait pas avec son caractère...

— Vous partez ?

— Je reviendrai peut-être tout à l'heure...

Il avait l'intention d'attendre trois heures du matin et il avait du temps devant lui. Ne sachant où se mettre, il rôda à nouveau, tantôt côté clients, tantôt côté personnel, et les allées et venues se raréfiaient à mesure que la nuit s'avançait. Il vit deux ou trois couples rentrer du théâtre, entendit des sonneries, rencontra un garçon avec des bouteilles de bière sur un plateau, un autre qui allait servir un repas complet.

A certain moment, au détour d'un corridor, il se heurta presque au chef de la réception.

— Vous n'avez pas besoin de moi, commissaire?

— Merci.

L'employé feignait d'être là pour son service, mais Maigret était persuadé qu'il était venu se rendre compte de ses faits et gestes.

— La plupart des clients ne rentrent guère avant trois heures du matin...

— Je sais. Merci.

— Si vous avez besoin de quoi que ce soit...

— Je vous le demanderai...

L'autre revint encore sur ses pas.

— Je vous ai bien donné les clefs?

Cette présence du commissaire dans la maison le mettait visiblement mal à l'aise. Maigret n'en continua pas moins à errer, se retrouva dans des sous-sols aussi vastes que la crypte d'une cathédrale et entrevit des hommes en bleu travaillant dans une chaufferie qui aurait pu être celle d'un bateau.

Ici aussi, on se retournait sur lui. Un employé, dans une cage vitrée, pointait les bouteilles qui sortaient de la cave à vins. Dans les cuisines, des femmes étaient occupées à laver le carrelage à grande eau.

Encore un escalier, avec une lampe grillagée au plafond, une porte va-et-vient, une autre cage vitrée, dans laquelle il n'y avait personne. L'air était plus frais et Maigret poussa une seconde porte, fut surpris de se retrouver dans la rue, avec, sur l'autre trottoir, un homme en bras de chemise qui baissait le volet du petit bar qu'il avait repéré du toit.

Il était rue Magellan et à droite, au bout de la rue Bassano, c'étaient les Champs-Elysées. Sur le seuil voisin, un couple était enlacé et l'amoureux était peut-être l'employé qui aurait dû se trouver dans la cage vitrée?

Est-ce que cette issue était gardée jour et nuit? Y pointait-on les entrées et les sorties du personnel? Maigret n'avait-il pas vu, tout à l'heure, un garçon en veste blanche traverser la rue pour s'engouffrer dans le bistrot d'en face?

Il enregistrait tous ces détails, machinalement. Quand il retourna au bar, la moitié des lumières étaient éteintes, les joueurs de poker n'étaient plus là et les garçons s'affairaient à débarrasser les tables.

Il ne retrouva pas non plus ses quatre Américains au salon empire, qui était vide et avait l'air d'une chapelle silencieuse.

Quand il revit le barman, celui-ci était en tenue de ville et Maigret faillit ne pas le reconnaître.

— Les joueurs de poker sont partis?

— Je crois qu'ils sont montés dans l'appartement de Mark Jones, où ils vont sans doute jouer toute la nuit... Vous restez?... Bonsoir...

Il n'était qu'une heure et quart et Maigret entra dans l'appartement de feu David Ward où tout était resté à sa place, y compris les vêtements épars et l'eau dans la baignoire.

Il ne se livra pas à un examen des lieux, se contenta de s'installer dans un fauteuil, d'allumer une pipe et de rester là à somnoler.

Peut-être avait-il eu tort de courir à Orly, à Nice, à Monte-Carlo, à Lausanne. Au fait, à cette heure-ci, la petite comtesse devait dormir dans son wagon-lit. Allait-elle descendre comme d'habitude au George V? Espérait-elle encore que Marco allait la reprendre?

Elle n'était plus rien, ni la femme de Ward, ni sa veuve, ni la femme de Marco.. Elle avait avoué qu'elle n'avait pas d'argent. Combien de temps vivrait-elle de ses fourrures et de ses bijoux?

Le colonel avait-il prévu qu'il pourrait mourir avant que son divorce d'avec Muriel Halligan devienne définitif et qu'il ait épousé la comtesse?

C'était improbable.

Elle n'avait même pas, elle, la ressource d'aller, à Lausanne, prendre place parmi celles du club des dames seules qui, au restaurant, exigent des plats sans sel et sans beurre, mais boivent quatre ou cinq cocktails avant chaque repas.

Ne répondait-elle pas aux conditions énumérées par Van Meulen?

Il n'essayait pas de conclure, de résoudre un problème. Il ne pensait pas, laissait son esprit divaguer.

Tout allait dépendre, peut-être, d'une petite

expérience. Et encore l'expérience ne serait pas nécessairement concluante. Il valait mieux que les journalistes qui vantaient ses méthodes ne sachent pas comment il lui arrivait de s'y prendre, car son prestige ne manquerait pas d'en souffrir.

Deux fois, il faillit s'endormir, sursautant à temps pour regarder sa montre. La seconde fois, il était deux heures et demie et, pour se tenir éveillé, il changea de décor, entra au 332, où on s'était contenté, par prudence, d'enlever les bijoux de la comtesse pour les ranger dans le coffre de l'hôtel.

Personne, semblait-il, n'avait touché à la bouteille de whisky et, après une dizaine de minutes, Maigret alla rincer un verre dans la salle de bain, se versa une rasade.

A trois heures, enfin, il franchit la porte des coulisses, au moment où passait un couple assez éméché. La femme chantait, portait sur son bras, comme un bébé, un énorme ours en peluche blanche qu'on avait dû lui vendre dans une boîte de nuit.

Il rencontra un seul garçon, au visage lugubre, qui aurait dû être à la retraite, s'orienta, descendit, d'abord trop bas, pour se retrouver dans le premier sous-sol, découvrant enfin la cage vitrée dans laquelle il n'y avait toujours personne, puis l'air vif de la rue Magellan.

Le bar, en face, était fermé depuis longtemps. Il en avait vu baisser le volet. La lumière au néon rouge, dans la rue voisine, était éteinte et, si les autos étaient encore là, il ne vit personne sur le trottoir, n'aperçut qu'une fois arrivé rue

Bassano un passant qui marchait vite et qui parut avoir peur de lui.

Le Fouquet's était fermé aussi, au coin des Champs-Elysées, et la brasserie d'en face. Une fille se tenait contre le mur de l'agence de voyages et lui dit à voix basse quelque chose qu'il ne comprit pas.

De l'autre côté de l'avenue, où ne glissaient que quelques autos, deux grandes vitrines restaient éclairées, non loin du Lido.

Maigret hésita au bord du trottoir, et il devait avoir l'air d'un somnambule, car il s'efforçait de se mettre dans la peau d'un autre, d'un autre qui, quelques minutes plus tôt, aurait tué un homme en lui maintenant la tête dans l'eau de sa baignoire et qui, depuis l'appartement 347, aurait suivi le même chemin que lui.

Un taxi descendait l'avenue à vide, ralentit en passant devant lui. Est-ce que le meurtrier lui aurait fait signe de s'arrêter? Ne se serait-il pas dit que c'était dangereux, que la police retrouve presque toujours les chauffeurs qui ont fait telle ou telle course?

Il le laissa passer, faillit descendre, sur le même trottoir, vers la Concorde.

Puis il regarda à nouveau, de l'autre côté, le café éclairé, le long comptoir de cuivre. De loin, il voyait le garçon servir de la bière, la caissière, quatre ou cinq clients immobiles, dont deux femmes.

Il traversa, hésita encore, et finit par entrer.

Les deux femmes le regardèrent, ébauchant déjà un sourire, puis elles eurent l'air, sans pour-

cant le reconnaître, de comprendre qu'il n'y
avait rien à attendre de lui.

Cela s'était-il passé de la même façon l'avant-
veille? L'homme derrière le comptoir le regardait aussi, interrogateur, attendant sa commande.

Maigret à cause de l'alcool, avait mauvaise
bouche, et son regard tomba sur la pompe à
bière.

— Donnez-moi un demi...

Deux ou trois femmes sorties de l'ombre vin-
rent, dehors, l'examiner à travers la vitre.

L'une d'elles risqua un petit tour dans le café
puis, sur le trottoir, dut dire aux autres qu'il
n'était pas intéressant.

— Vous restez ouvert toute la nuit?

— Toute la nuit.

— Il y a d'autres bars ouverts d'ici la Madeleine?

— Seulement les cabarets à *strip-tease*.

— Vous étiez ici avant-hier à la même heure?

— J'y suis toutes les nuits, sauf le lundi...

— Vous aussi? demanda-t-il à la caissière, qui
avait un châle en laine bleue sur les épaules.

— Moi, je suis de congé le mercredi.

L'avant-veille était un mardi. Ils y étaient
donc tous les deux.

Plus bas, il questionna en désignant les deux
filles :

— Elles aussi?

— Sauf quand elles emmènent un client rue
Washington ou rue de Berry...

Le garçon fronçait les sourcils, se demandant
qui pouvait être ce drôle de consommateur dont
le visage lui rappelait quelque chose. Ce fut une

des filles qui le reconnut en fin de compte et qui remua les lèvres pour avertir le garçon.

Elle ne pensait pas que Maigret la voyait dans la glace, répétait le même mot, à vide, comme un poisson, et le garçon ne comprenait pas, la regardait, puis regardait le commissaire pour la regarder à nouveau d'un air interrogateur.

A la fin, Maigret fit en quelque sorte office de traducteur.

— Vingt-deux ! dit-il.

Et, comme le garçon n'avait pas l'air de savoir où il en était, il expliqua :

— Elle vous dit que je suis un flic.

— Et c'est vrai ?

— C'est vrai.

Il devait être drôle en parlant ainsi, car la fille, un instant confuse, ne put s'empêcher d'éclater de rire.

8

*Ceux qui ont vu et ceux qui n'ont rien vu, ou
de l'art de mélanger les témoins.*

— MAIS NON, PATRON.
Cela ne me fait rien du tout. Je m'y attendais
si bien que je l'avais annoncé à ma femme en
nous couchant.

Lucas avait repris ses esprits dès que le téléphone avait sonné, mais il ne devait pas avoir
l'horloge sous les yeux. Peut-être n'avait-il pas
encore fait la lumière dans la chambre?

— Quelle heure est-il?

— Trois heures et demie... Tu as un papier
et un crayon?...

— Un instant...

Par la vitre de la cabine, Maigret voyait la
dame des lavabos endormie sur sa chaise, un tri-
cot dans son giron, et il savait que là-haut, au
comptoir, on parlait de lui.

— Je vous écoute...

— Je n'ai pas le temps de t'expliquer... Contente-toi de suivre mes instructions à la lettre...

Il les lui donna lentement, répétant chaque phrase pour être sûr qu'il ne se produise pas d'erreur.

— A tout à l'heure.

— Pas trop fatigué, patron?

— Pas trop.

Il raccrocha, appela Lapointe, qui fut plus long à se réveiller, peut-être parce qu'il était plus jeune.

— Va d'abord boire une verre d'eau fraîche. Tu m'écouteras après...

A lui aussi, il fournit des instructions précises, hésita à appeler Janvier, mais celui-ci habitait la banlieue et il ne trouverait sans doute pas un taxi tout de suite.

Il remonta. La fille qui s'était proposée pour aller attendre Olga à la porte du meublé de la rue Washington et pour la ramener n'était pas de retour et Maigret but un second verre de bière. L'alcool l'alourdissait peut-être un peu, mais, pour ce qu'il avait à faire, cela valait plutôt mieux.

— C'est indispensable que j'y aille aussi? insistait le garçon, de l'autre côté du bar. Les deux filles ne suffiront pas? Même s'il ne se souvient pas de Malou, à qui il n'a pas parlé, il n'a sûrement pas oublié Olga, et on va vous la trouver. Non seulement il lui a offert un verre et a bavardé avec elle, mais j'ai compris qu'il hésitait à l'emmener. Or, avec ses cheveux roux et la poitrine qu'elle a, Olga ne s'oublie pas...

— Je tiens à ce que vous y soyez...

— Ce que j'en dis, ce n'est pas pour moi, mais pour mon collègue, que je vais devoir tirer de son lit. Il râlera...

La fille, qui s'était absentée, revenait avec la fameuse Olga, une rousse flamboyante, en effet, qui mettait en valeur une poitrine orgueilleuse.

— C'est lui, lui dit sa copine. Le commissaire Maigret. N'aie pas peur...

Olga se méfiait encore un peu. Maigret lui offrit un verre, lui donna des instructions comme aux autres.

Enfin, tout seul, il sortit du café et descendit les Champs-Élysées, sans se presser, les mains dans les poches, à fumer sa pipe à petites bouffées.

Il passa devant le portier du Claridge et faillit s'arrêter, l'embaucher aussi. S'il ne le fit pas, c'est qu'il aperçut un peu plus loin une vieille femme assise par terre, le dos au mur, devant un panier de fleurs.

— Vous étiez ici l'avant-dernière nuit ?

Elle l'observait d'un oeil méfiant et il dut parlementer, obtint enfin ce qu'il voulait et lui remit de l'argent, après avoir répété deux ou trois fois ses directives.

Il pouvait marcher un peu plus vite, à présent. Sa figuration était au complet. Lucas et Lapointe se chargeaient du reste. Il faillit prendre un taxi, mais il serait arrivé trop tôt.

Il atteignit l'avenue Matignon, hésita, se dit que l'homme, habitué à suivre ce chemin-là, avait dû couper au court par le Faubourg Saint-Honoré, de sorte qu'il passa devant l'ambassade britannique et devant l'hôtel où M. Philps se reposait de ses allées et venues de la veille.

La Madeleine, le boulevard des Capucines... Encore un homme en uniforme, à la porte du Scribe, une porte tournante, un hall moins éclairé que celui du George V, un décor plus vieillot...

Il montra sa médaille à l'employé de la réception.

— M. John T. Arnold est chez lui ?

Coup d'œil au tableau de clefs. Signe affirmatif.

— Il y a longtemps qu'il est couché ?

— Il est rentré vers dix heures et demie.

— Cela lui arrive souvent ?

— C'est plutôt rare mais, avec cette histoire, il a eu une journée chargée.

— A quelle heure l'avez-vous vu rentrer la nuit précédente ?

— Un peu après minuit.

— Et la nuit d'avant ?

— Beaucoup plus tard.

— Après trois heures ?

— C'est possible. Vous devez savoir que nous n'avons pas le droit de fournir de renseignements sur les allées et venues de nos clients.

— Tout le monde est tenu de témoigner dans une affaire criminelle.

— Dans ce cas, adressez-vous au directeur.

— Le directeur était ici l'avant-dernière nuit ?

— Non. Je ne parlerai qu'avec son autorisation.

Il était têtu, borné, désagréable.

— Passez-moi le directeur à l'appareil.

— Je ne peux le déranger que pour une chose grave.

— La chose est assez grave pour que, si vous ne l'appelez pas tout de suite, je vous emmène au Dépôt.

Il dut comprendre que c'était sérieux.

— Dans ce cas, je vous donne le renseignement. C'était après trois heures, et même bien après trois heures et demie, car c'est un peu plus tard que j'ai dû monter faire cesser le vacarme des Italiens.

A lui aussi, Maigret donna des instructions, et il fallut quand même appeler le directeur de l'hôtel au bout du fil.

— Maintenant, soyez assez gentil pour me passer John T. Arnold... Qu'on sonne simplement son appartement... C'est moi qui parlerai...

Le combiné à la main, Maigret était assez ému, car c'était une partie difficile, délicate, qu'il était en train de jouer. Il entendait la sonnerie, dans l'appartement qu'il ne connaissait pas. Puis on décrocha. Il questionna d'une voix sourde :

— M. Arnold ?

Et une autre voix faisait :

— *Who is it?*

Mal réveillé, Arnold parlait naturellement sa langue maternelle.

— Je suis confus de vous déranger, M. Arnold. Ici, le commissaire Maigret. Je suis sur le point de mettre la main sur l'assassin de votre ami Ward et j'ai besoin de votre aide.

— Vous êtes toujours à Lausanne ?

— Non, à Paris.

— Quand voulez-vous me voir ?

— Tout de suite.

Il y eut un silence, une hésitation.

— Où?

— Je suis en bas, à votre hôtel. J'aimerais monter un instant et bavarder avec vous.

Nouveau silence. L'Anglais avait le droit de refuser cette entrevue. Le ferait-il?

— C'est de la comtesse que vous voulez me parler?

— D'elle aussi, oui...

— Elle est arrivée avec vous?. Elle vous accompagne?

— Non... Je suis seul...

— Bien... Montez...

Maigret raccrocha, soulagé.

— Quel appartement? demanda-t-il à l'employé

— 551... Le chasseur va vous conduire...

Des couloirs, des portes numérotées. Ils rencontrèrent un seul garçon qui frappa, lui aussi, au 551.

John T. Arnold, les yeux bouffis, paraissait plus âgé que quand le commissaire l'avait rencontré au George V. Il portait une robe de chambre noire à ramages sur un pyjama de soie.

— Entrez...Excusez le désordre... Qu'est-ce que la comtesse vous a dit?... C'est une hystérique, vous savez?... Et, quand elle a bu...

— Je sais... Je vous remercie d'avoir accepté de me recevoir... L'intérêt de tous, n'est-ce pas, sauf du meurtrier, bien entendu, est que l'affaire soit rapidement terminée... On m'a appris que vous vous êtes donné beaucoup de mal, hier, avec le sollicitor anglais, pour arranger la succession de Ward...

— C'est très compliqué... soupira le petit homme au teint rose.

Il avait commandé du thé au garçon.

— Vous en voulez aussi?

— Merci.

— Autre chose?

— Non. A vrai dire, M. Arnold, ce n'est pas ici que j'ai besoin de vous...

Il était attentif aux réactions de son interlocuteur, qu'il feignait pourtant de ne pas regarder.

— Mes hommes, quai des Orfèvres, ont fait certaines découvertes que je voudrais vous sou mettre...

— Quelles découvertes?

Il fit mine de ne pas avoir entendu.

— J'aurais pu, évidemment, attendre demain matin pour vous convoquer. Comme vous êtes la personne qui était la plus proche du colonel, la plus dévouée aussi, j'ai pensé que vous ne m'en voudriez pas de vous déranger en pleine nuit...

Il était bénin au possible, embarrassé, en fonctionnaire qui, par devoir, risque une démarche désagréable.

— Dans les enquêtes comme celle-ci, le temps est un facteur capital. Vous avez souligné l'importance des affaires de Ward, les répercussions de sa mort dans les milieux financiers... Si cela ne vous ennuyait pas de vous habiller et de venir avec moi...

— Où?

— A mon bureau...

— Nous ne pouvons pas parler ici?

— Ce n'est que là-bas que je pourrai vous mettre les pièces en main, vous soumettre certains problèmes...

Cela prit encore un peu de temps mais, en fin de compte, Arnold se décida à s'habiller, passant du salon à la chambre à coucher, de la chambre à coucher à la salle de bain.

Pas une fois Maigret ne prononça le nom de Muriel Halligan, mais il parla beaucoup de la comtesse, sur un ton mi-sérieux, mi-plaisant. Arnold but son thé brûlant. Malgré l'heure, malgré l'endroit où ils se rendaient, il fit une toilette aussi soignée que d'habitude.

— Je suppose que nous n'en avons pas pour longtemps? Je me suis couché de bonne heure car, demain, j'ai une journée encore plus chargée qu'aujourd'hui. Vous savez que Bobby, le fils du colonel, est arrivé en compagnie de quelqu'un de son collège? Ils sont descendus ici.

— Pas au George V?

— J'ai cru préférable, étant donné ce qui s'est passé là-bas...

— Vous avez bien fait.

Maigret ne le pressait pas, au contraire. Il fallait donner à Lucas et aux autres le temps de faire tout ce qu'ils avaient à faire, de mettre le dispositif en place.

— Votre vie va être très changée, n'est-il pas vrai? Combien de temps, au fait, êtes-vous resté avec votre ami Ward?

— Près de trente ans...

— Le suivant partout?

— Partout...

— Et, du jour au lendemain... Je me demande

si c'est à cause de lui que vous ne vous êtes pas
marié...

— Que voulez-vous dire?

— Marié, vous n'auriez pas été aussi libre pour
l'accompagner... En somme, vous lui avez sacri-
fié votre vie personnelle...

Maigret aurait préféré s'y prendre autrement,
se camper en face du petit homme grassouillet
et soigné, lui déclarer carrément :

— A nous deux... Vous avez tué Ward parce
que...

Le malheur, c'est qu'il ne savait pas pourquoi
au juste et que l'Anglais ne se serait sans doute
pas troublé.

— La comtesse Palmieri arrivera à 7 heures à
la gare de Lyon. Elle est dans le train en ce moment...

— Qu'est-ce qu'elle a dit?

— Elle est allée dans l'appartement du colonel
et l'a vu mort...

— Vous l'avez convoquée quai des Orfèvres?

Il fronça les sourcils.

— Vous n'allez pas me faire attendre son arrivée?

— Je ne le pense pas.

Ils se dirigeaient enfin tous les deux vers l'ascenseur, dont Arnold pressait le bouton d'un
geste machinal.

— J'ai oublié de prendre un pardessus...

— Je n'en ai pas non plus. Il ne fait pas froid
et nous n'en avons que pour quelques minutes
en taxi...

Maigret ne voulait pas le laisser retourner seul
dans la chambre. Tout à l'heure, dès qu'ils se-

raient en voiture, un inspecteur la passerait
au crible.

Ils traversèrent le hall assez vite pour qu'Arnold ne s'aperçoive pas que ce n'était pas le même employé qui se tenait à la réception. Un taxi
attendait.

— Quai des Orfèvres...

Les boulevards étaient déserts. Un couple, par-
ci par-là. Quelques taxis qui, la plupart, se dirigeaient vers les gares. Maigret n'en avait plus
que pour quelques minutes à jouer son rôle dé-
plaisant et à se demander s'il ne faisait pas fausse
route.

Le taxi n'entrait pas dans la cour et les deux
hommes passaient, à pied, devant le factionnaire,
pénétraient sous la voûte de pierre où il faisait
toujours plus froid qu'ailleurs.

— Je vous conduis, vous permettez?...

Le commissaire marchait devant, dans le grand
escalier mal éclairé, poussait la porte vitrée qu'il
tenait ouverte pour son compagnon. Le vaste couloir, sur lequel donnaient les portes des divers
services, était vide, avec seulement deux des lampes allumées.

— Comme dans les hôtels, la nuit ! pensa Maigret, qui se rappelait tous les couloirs dans lesquels il avait déambulé cette nuit-là.

Et, à voix haute :

— Par ici... Entrez, je vous en prie...

Il n'introduisait pas Arnold dans son bureau,
mais il le faisait passer par le bureau des inspecteurs. Lui-même s'effaçait, car il savait quel
spectacle attendait l'Anglais de l'autre côté de la
porte.

Un pas... deux pas... Un temps d'arrêt... Il eut conscience d'un frémissement qui parcourait le dos de son compagnon, d'un mouvement qu'il était tenté de faire pour se retourner, mais qu'il réfréna.

— Entrez...

Il refermait la porte et trouvait en effet la mise en scène qu'il avait imaginée. Lucas était assis à son bureau, où il paraissait fort occupé à écrire un rapport. Au bureau d'en face, le jeune Lapointe était installé, une cigarette aux lèvres, et Maigret remarqua qu'il était, de tous, le plus pâle. Comprenait-il que le commissaire jouait une carte difficile, sinon dangereuse?

Le long des murs, sur les chaises, des silhouettes, des visages immobiles comme des figures de cire.

On n'avait pas placé les figurants n'importe comment, mais dans un ordre déterminé. D'abord, un pardessus ouvert sur son pantalon noir et sur sa veste blanche, le garçon de nuit attaché au troisième étage du Georges V. Puis un chasseur en uniforme. Ensuite, un petit vieux aux yeux bilieux, celui-là qui, en principe, aurait toujours dû se tenir dans la cage vitrée, près de l'entrée de service de la rue Magellan.

C'étaient les plus mal à l'aise et ils évitaient de regarder Arnold qui ne pouvait pas ne pas les avoir reconnus, le premier en tout cas, et le second à cause de son uniforme.

Le troisième aurait pu être n'importe qui. Cela n'avait pas d'importance. Venaient ensuite Olga, la fille rousse à la poitrine abondante, qui trompait son énervement en mâchant du chewing-gum, et la copine qui était allée l'attendre à la porte du meublé de la rue Washington.

Enfin le garçon du bar, en pardessus, une casquette à carreaux à la main, la vieille marchande de fleurs et l'employé de la réception du Scribe.

— Je suppose, disait Maigret, que vous connaissez ces personnes? Nous allons nous installer dans mon bureau et les entendre une à une. Vous avez les dépositions écrites, Lucas?

— Oui, patron...

Maigret poussait la porte de communication.

— Entrez, je vous en prie, M. Arnold...

Celui-ci fut un moment avant de s'ébranler, comme rivé au plancher, et son regard fixait intensément les yeux du commissaire.

Il ne fallait pas que Maigret détourne la tête et il devait coûte que coûte garder son air d'assurance.

Il répéta :

— Entrez, je vous en prie.

Il allumait la lampe à abat-jour vert sur son bureau, désignait un fauteuil en face du sien.

— Vous pouvez fumer...

Quand il regarda à nouveau son interlocuteur, il comprit que celui-ci n'avait pas cessé de le fixer avec une véritable épouvante.

Aussi naturel que possible, il bourra une pipe, commença :

— Et maintenant, si vous le voulez bien, nous allons appeler les témoins un à un afin d'établir vos allées et venues depuis le moment où, dans la salle de bain du colonel Ward...

Tandis que sa main s'avançait ostensiblement vers le timbre électrique il vit les yeux proémi-

nents d'Arnold s'embuer, sa lèvre inférieure se
soulever comme pour un sanglot. Il ne pleura
pas. Avalant sa salive pour se décontracter la
gorge, il prononça d'une voix pénible à entendre :

— C'est inutile...

— Vous avouez?

Un silence. Les paupières battirent.

Et alors, il se passa une chose à peu près uni-
que dans la carrière de Maigret. Il avait été si
tendu, si angoissé, qu'il y eut un soudain mol-
lissement de tout son être trahissant son sou-
lagement.

Arnold qui ne le quittait pas des yeux, en fut
d'abord stupéfait, puis il fronça les sourcils, de-
vint terreux.

— Vous...

Les mots sortaient avec peine.

— Vous ne le saviez pas, n'est-ce pas?

Enfin, comprenant tout :

— Ils ne m'ont pas vu?

— Pas tous, avoua Maigret. Je m'excuse, M.
Arnold, mais il valait mieux en finir, ne croyez-
vous pas? C'était le seul moyen...

Ne lui avait-il pas évité des heures, peut-être
des journées entières d'interrogatoire?

— Je vous assure que c'est préférable pour
vous aussi...

Ils attendaient toujours, à côté, tous les témoins, ceux qui avaient vraiment vu quelque
chose et ceux qui n'avaient rien vu. En les pla-
çant à la file les uns des autres, dans l'ordre où
Arnold *aurait pu* les rencontrer, le commissaire

avait donné l'impression d'une chaîne solide de
témoignages.

Les bons, en quelque sorte, faisaient passer
les mauvais.

— Je suppose que je peux leur rendre la liberté?

L'Anglais essaya bien un peu de se débattre.

— Qu'est-ce qui prouve, maintenant, que...

— Écoutez-moi, M. Arnold. Maintenant,
comme vous dites, je sais. Il vous est possible de
revenir sur votre aveu, et même de prétendre
qu'il vous a été arraché par des brutalités...

— Je n'ai pas dit ça...

— Voyez-vous, il est trop tard pour revenir
en arrière. Je n'ai pas cru devoir, jusqu'ici, déranger certaine dame qui est descendue dans un
hôtel du quai des Grands Augustins et avec qui
vous avez déjeuné ce midi. Je peux le faire. Elle
prendra votre place, en face de moi, et je lui
poserai assez de questions pour qu'elle finisse
par répondre...

Il y eut un silence pesant.

— Vous aviez l'intention de l'épouser?

Pas de réponse.

— Dans combien de jours le divorce serait-il
devenu définitif et aurait-elle dû abandonner ses
prétentions à l'héritage?

Maigret, sans attendre, alla ouvrir la fenêtre
et le ciel commençait à pâlir, on entendait des
remorqueurs qui, en amont de l'île Saint-Louis,
appelaient leurs chalands.

— Trois jours...

Avait-il entendu? Maigret, comme si de rien
n'était, ouvrait la porte de communication.

— Vous pouvez aller, mes enfants... Je n'ai plus besoin de vous... Toi, Lucas...

Il avait hésité entre Lucas et Lapointe. Devant la mine déçue de ce dernier, il ajouta :

— Toi aussi... Venez tous les deux et prenez sa déposition...

Il retourna au milieu de son bureau, choisit une pipe fraîche qu'il bourra lentement, chercha son chapeau des yeux.

— Vous permettez que je vous laisse, M. Arnold?...

Celui-ci était comme tassé sur sa chaise, soudain très vieux, et perdait davantage de minute en minute cette sorte de... Cette sorte de quoi?... Maigret aurait eu de la peine à exprimer sa pensée... Ce je ne sais quoi d'aisé, de brillant, cette assurance qui distingue les gens qui font partie d'un certain monde et qu'on rencontre dans les palaces...

Il n'était déjà presque plus qu'un homme, un homme effondré, malheureux, qui avait perdu la partie.

— Je vais me coucher, dit Maigret à ses collaborateurs. Si vous avez besoin de moi...

Ce fut Lapointe qui remarqua qu'en passant le commissaire, comme distraitement, posait un instant la main sur l'épaule de John T. Arnold, et il suivit le patron jusqu'à la porte d'un regard troublé.

FIN

Noland, le 17 août 1957

OUVRAGES DE GEORGES SIMENON
AUX PRESSES DE LA CITÉ (suite)

« TRIO »

I. — La neige était sale — Le destin des Malou — Au bout du rouleau
II. — Trois chambres à Manhattan — Lettre à mon juge — Tante Jeanne
III. — Une vie comme neuve — Le temps d'Anaïs — La fuite de Monsieur Monde
IV. — Un nouveau dans la ville — Le passager clandestin — La fenêtre des Rouet
V. — Pedigree
VI. — Marie qui louche — Les fantômes du chapelier
— Les quatre jours du pauvre homme
VII. — Les frères Rico — La jument perdue — Le fond de la bouteille
VIII. — L'enterrement de M. Bouvet — Le grand Bob — Antoine et Julie

PRESSES POCKET

Monsieur Gallet, décédé
Le pendu de Saint-Pholien
Le charretier de la Providence
Le chien jaune
Pietr-le-Letton
La nuit du carrefour
Un crime en Hollande
Au rendez-vous des Terre-Neuvas
La tête d'un homme
La danseuse du gai moulin
Le relais d'Alsace
La guinguette à deux sous
L'ombre chinoise
Chez les Flamands
L'affaire Saint-Fiacre
Maigret
Le fou de Bergerac
Le port des brumes
Le passager du « Polarlys »
Liberty Bar
Les 13 coupables
Les 13 énigmes
Les 13 mystères
Les fiançailles de M. Hire
Le coup de lune
La maison du canal
L'écluse n° 1
Les gens d'en face
L'âne rouge
Le haut mal
L'homme de Londres

A LA N.R.F.

Les Pitard
L'homme qui regardait passer les trains
Le bourgmestre de Furnes
Le petit docteur
Maigret revient
La vérité sur Bébé Donge
Les dossiers de l'Agence O
Le bateau d'Émile
Signé Picpus
Les nouvelles enquêtes de Maigret
Les sept minutes
Le cercle des Mahé
Le bilan Malétras

ÉDITION COLLECTIVE SOUS COUVERTURE VERTE

I. — La veuve Couderc — Les demoiselles de Concarneau — Le coup de vague — Le fils Cardinaud
II. — L'Outlaw — Cour d'assises — Il pleut, bergère... — Bergelon
III. — Les clients d'Avrenos — Quartier nègre — 45° à l'ombre
IV. — Le voyageur de la Toussaint — L'assassin — Malempin
V. — Long cours — L'évadé
VI. — Chez Krull — Le suspect — Faubourg
VII. — L'aîné des Ferchaux — Les trois crimes de mes amis
VIII. — Le blanc à lunettes — La maison des sept jeunes filles — Oncle Charles s'est enfermé
IX. — Ceux de la soif — Le cheval blanc — Les inconnus dans la maison
X. — Les noces de Poitiers — Le rapport du gendarme G. 7
XI. — Chemin sans issue — Les rescapés du « Télémaque » — Touristes de bananes
XII. — Les sœurs Lacroix — La mauvaise étoile — Les suicidés
XIII. — Le locataire — Monsieur La Souris — La Marie du Port
XIV. — Le testament Donadieu — Le châle de Marie Dudon — Le clan des Ostendais

MÉMOIRES

Lettre à ma mère
Un homme comme un autre
Des traces de pas
Des petits hommes
Vent du nord vent du sud
Un banc au soleil
De la cave au grenier
À l'abri de notre arbre
Tant que je suis vivant
Vacances obligatoires
La main dans la main
Au-delà de ma porte-fenêtre
Je suis resté un enfant de chœur
À quoi bon jurer ?
Point-virgule
Le prix d'un homme
On dit que j'ai soixante-quinze ans
Quand vient le froid.
Les libertés qu'il nous reste
La Femme endormie
Jour et nuit
Destinées
Quand j'étais vieux
Mémoires intimes

Achevé d'imprimer en avril 1988
sur les presses de l'Imprimerie Bussière
à Saint-Amand (Cher)

— N° d'édit. 1421. — N° d'imp. 4094. —
Dépôt légal : 4e trimestre 1957.

Imprimé en France